Rebecca McLaughlin

Weihnachten – unglaublich?

*Vier Fragen, die jeder an die unglaublichste
Geschichte der Welt stellen sollte*

W0051482

Für Carrie ...
weil „sogar Atheisten eine Krippe mögen“!

REBECCA McLAUGHLIN

WEIHNACHTEN –

UNGLAUBLICH?

VIER FRAGEN, DIE JEDER AN DIE
UNGLAUBLICHSTE GESCHICHTE DER WELT
STELLEN SOLLTE

Rebecca McLaughlin
Weihnachten – unglaublich?
*Vier Fragen, die jeder an die unglaublichste Geschichte
der Welt stellen sollte*

Christliche Verlagsgesellschaft Dillenburg
Best.-Nr. 271556
ISBN 978-3-86353-556-8

cmvd, München
ISBN 978-3-9817729-7-5

Best.-Nr. 180223
ISBN 978-3-85810-602-5
Verlag Mitternachtsruf, www.mnr.ch

Titel des englischen Originals:
Is Christmas Unbelievable?
© 2021 by Rebecca McLaughlin
Published by The Good Book Company

Es wurde folgende Bibelübersetzung verwendet:
Elberfelder Bibel 2006, © 2006 by SCM R.Brockhaus in der
SCM Verlagsgruppe GmbH Witten/Holzgerlingen.

1. Auflage
© 2022 Christliche Verlagsgesellschaft Dillenburg
www.cv-dillenburg.de

Übersetzung: Svenja Lueg
Satz und Umschlaggestaltung:
Christliche Verlagsgesellschaft Dillenburg
Umschlagmotiv: © iStock.com/Paul Campbell

Druck: GGP Media GmbH, Pößneck
Printed in Germany

Wenn Sie Rechtschreib- oder Zeichensetzungsfehler entdeckt
haben, können Sie uns gerne kontaktieren:
info@cv-dillenburg.de

Inhalt

Stimmen zum Buch

„Falls Sie Skeptiker sind, ist dieses Buch ideal für Sie. Rebecca McLaughlin hat eine sehr gute Antenne für die großen Fragen, die sich viele von uns stellen. Sie bahnt sich ihren Weg durch verbreitete Missverständnisse in Bezug auf die christliche Botschaft und zeigt überzeugend, warum die Vorstellung, dass Gott unseren Planeten besucht hat, weit entfernt ist von einer *Star-Wars-* oder *Harry-Potter*-Fantasygeschichte."

John Lennox, emeritierter Professor für Mathematik, University of Oxford; Autor von *Wozu Glaube, wenn es Wissenschaft gibt?*

„Rebecca McLaughlin hat es wieder einmal geschafft! Sie setzt nichts voraus und erklärt alles. Dadurch legt sie kurz, aber überzeugend dar, wie und warum Weihnachten die tiefsten Wahrheiten des Evangeliums widerspiegelt. Sehr zu empfehlen."

Dane Ortlund, Hauptpastor der *Naperville Presbyterian Church*

„Rebecca spricht auf liebenswürdige Art unsere Bedenken im Hinblick auf die unglaublichen Behauptungen des christlichen Glaubens an – insbesondere solche, die Weihnachten betreffen. Ihr freundlicher und aufrichtiger Ton rundet ihren Aufruf an uns alle ab, uns ernsthaft mit der großartigsten Geschichte auseinanderzusetzen und ihr Glauben zu schenken – einer Geschichte, die weit über Weihnachten hinausreicht."

Quina Aragon, Autorin, *Love Made: A Story of God's Overflowing, Creative Heart* und *Love Gave: A Story of God's Greatest Gift*

„Weihnachten – unglaublich? präsentiert eine extrem zugängliche und glasklare Argumentation sowohl für die Historizität der geschriebenen Evangelien als auch für die Historizität von Jesus selbst – und dafür, warum das von Bedeutung ist. Dass sie ihre Essays als eine Erläuterung der Bedeutung von Weihnachten präsentiert, macht ihre Argumentation nur noch interessanter – und lesenswerter. Auch großartig als Geschenk."

Timothy Keller, Autor, *Warum Gott?*

„Wenn Sie meinen, die Weihnachtsgeschichte sei ein Kindermärchen, empfehle ich Ihnen wärmstens, dieses Buch zu lesen!"

Russell Cowburn, Professor für Experimentelle Physik, *Cambridge University*

„Rebecca McLaughlin ist schnell zu einem meiner liebsten christlichen Apologeten geworden. Wenn Sie nach einem guten Buch suchen, das Sie einem nicht gläubigen Freund zu Weihnachten schenken können, oder wenn Sie selbst auf der Suche nach Antworten sind, so wird Ihnen dieses Buch ein willkommener Begleiter sein."

Ligon Duncan, Rektor und Geschäftsführer des *Reformed Theological Seminary*

„So viele Menschen sind von der Coronapandemie erschüttert worden. Wir sind fragil, haben keine Kontrolle, sind oft einsam oder wütend und sehnen uns nach einem Gott, an den wir glauben können. Aber wir müssen wissen, dass es wirklich wahr ist. Aus diesem Grund ist Rebecca McLaughlins kleines Weihnachtsbuch *Weihnachten – unglaublich?* so aktuell. Sie erzählt die Weihnachtsgeschichte und liefert die Fakten, die sie in der Menschheitsgeschichte verankern. Sie verteidigt das Wunderbare und erklärt die Bedeutung von alledem."

Rico Tice, Gründer von *Christianity Explored Ministries* (in Deutschland als *Christsein Entdecken* bekannt)

„Mit Klarheit, Prägnanz und zeitgemäßer Erkenntnis nimmt Rebecca McLaughlins Buch sowohl die kognitiven als auch die emotionalen Fragen im Kopf und im Herzen des Skeptikers vorweg. Das ist genau die Sorte kultureller Apologetik, die wir heute brauchen – eine Apologetik, die weise und gewinnend ist. Nehmen Sie dieses Buch in die Hand, lesen Sie es und geben Sie es dann weiter."

Julius J. Kim, PhD, Vorsitzender von *The Gospel Coalition*

„Was für ein Geschenk! Dieses kleine Buch zeigt uns, dass rational denkende Erwachsene nicht aufhören müssen, an Weihnachten zu glauben. Es ist das perfekte Geschenk, das man zusammen mit einer Weihnachtskarte schicken kann."

Peter J. Williams, Autor, *Glaubwürdig: Können wir den Evangelien vertrauen?*

Einleitung

Lieber Weihnachtsmann. Danke für die Puppen, die Buntstifte und die Fische. Es ist Ostern – ich hoffe, ich hab dich nicht geweckt. Aber ganz ehrlich, es ist ein Notfall. Da ist ein Riss in meiner Wand. Tja. Tante Sharon hat gesagt, der Riss wär ganz normal, aber das stimmt nicht. Denn nachts höre ich Stimmen. Könntest du bitte, BITTE jemanden schicken, der ihn repariert?

Eine Siebenjährige (Amy Pond) kniet gerade vor ihrem Bett und betet zum Weihnachtsmann, als der Sci-Fi-Kultheld *Doctor Who* mit seiner Zeit-und-Raumkapsel in ihrem Garten eine Bruchlandung hinlegt. Falls Sie mit *Doctor Who* nicht vertraut sind: Der Doktor ist ein Alien, der wie ein Mensch aussieht, zwei Herzen und ein übermenschliches Gehirn hat. Er ist Hunderte Jahre alt und reist durch Raum und Zeit, um Freundschaften zu schließen und Welten zu retten. Günstig (sowohl für den Doktor als auch für die Serie) ist, dass er sich regeneriert, statt zu sterben. In dieser Folge hat er sich gerade in einen neuen Körper regeneriert. Er isst die Hälfte des Essens in Amys Haus, doch den gruseligen Riss in ihrer Wand repariert er nicht. Er sagt ihr, es handle sich um einen Riss in der Haut des Universums. Dann geht er weg und verspricht, in fünf Minuten zurück zu sein.

Ist er aber nicht.

Amy malt Bilder von dem „zerlumpten Doktor", damit sie ihn nicht vergisst. Als Heranwachsende klammert sie sich an die Vorstellung, der Held, der einst vom Himmel gefallen war, um die Welt ihrer Kindheit zu retten, sei tatsächlich echt gewesen.

Ich weiß nicht, was Sie von der Weihnachtsgeschichte halten. Vielleicht glaubten Sie daran, als Sie so alt waren wie Amy damals. Doch heute klingt die Geschichte des neugeborenen Sohnes Gottes, der in einer Krippe liegt und doch dazu geboren wurde, um die Welt zu retten, ungefähr so weit hergeholt wie *Doctor Who*. Botenengel. Eine Jungfrauengeburt. Ein Stern, der den Weg weist. Kann man von jemandem, der zu alt ist, um an den Weihnachtsmann zu glauben, wirklich erwarten, solche Dinge zu glauben?

Die Antwort dieses Buches lautet „Ja". Es wird vier Fragen unter die Lupe nehmen, die wir alle in Bezug auf die Geschichte von der Geburt Jesu stellen sollten. Und es wird zeigen, dass einige der renommiertesten Forscher auf der Welt glauben, dass die Weihnachtsgeschichte wahr ist – auch wenn einige Kinder da eher skeptisch sind. Überdies wird dieses Buch zu folgendem Schluss kommen: Wenn Gott wirklich vor etwas mehr als 2000 Jahren Mensch wurde, dann ist das eine wirklich gute Nachricht für uns hier und jetzt. Denn wir haben – wie Amy Pond – einen Notfall.

Der Dezember bringt Heerscharen himmlischer Gefühle mit sich. Ich weiß nicht, ob Sie Weihnachten genießen oder fürchten, ob Sie voller Freude und Liebe sind oder sich allein und verloren fühlen. Vielleicht leben Sie Ihre Träume. Oder vielleicht entpuppt sich das Leben nicht ganz als das, worauf Sie damals mit sieben Jahren hofften. Vielleicht verspüren Sie keinen Bedarf nach einem Retter. Oder vielleicht sind Sie – wenn Sie ehrlich sind – längst bereit, alles zu probieren.

Ganz gleich, wie Sie sich gerade fühlen – ich hoffe, dass dieses kleine Buch Ihnen dabei helfen wird, ein bisschen mehr über den Mann nachzudenken, der vor 2000 Jahren in unserer Welt gelandet ist. Ich hoffe, es wird Sie davon überzeugen, dass er wichtiger ist, als Sie dachten. Und hoffentlich fragen Sie sich dadurch, ob seine unglaubliche Behauptung, er sei gekommen, um die Welt – und Sie und mich – vor einem Notfall zu retten, der ernster ist als der von Amy Pond, nicht vielleicht sogar wahr sein könnte.

Gab es Jesus überhaupt wirklich?

„Ich habe allen meinen Freunden erzählt, dass der Weihnachtsmann nicht echt ist, Jesus aber schon!"

Als meine Fünfjährige mit dieser Neuigkeit nach Hause kam, hatte ihre Lehrerin mir bereits (besorgt) berichtet, dass sie andere Kinder angeleitet hatte, die Weihnachtsgeschichte nachzuspielen. „Du bist Maria. Du bist Josef. Du bist der Engel." Ich war hin- und hergerissen zwischen Bewunderung für ihren Mumm und Grauen vor den peinlichen Gesprächen mit den anderen Eltern!

Für viele Kinder ist der Weihnachtsmann der eigentliche Star an Weihnachten. Dabei geht es hauptsächlich um die Geschenke. Aber ihn umgibt auch diese magische Aura – die Vorstellung, dass jemand mit übernatürlichen Kräften ihnen vielleicht gerade zuhört. Amy Pond ist nicht das einzige Kind, das je zum Weihnachtsmann gebetet hat.

Ist es genauso naiv, an Jesus zu glauben?

Zahlreiche Menschen würden darauf mit *Ja!* antworten. Tatsächlich ergab eine Umfrage im

Jahr 2015, dass 40 % aller Erwachsenen in Großbritannien entweder der Meinung waren, Jesus sei keine reale Person gewesen, oder sich zumindest nicht sicher waren.[1] 22 % hielten ihn für „eine mythische oder fiktionale Figur". Bevor wir uns also die Details von Jesu Geburt ansehen, müssen wir uns zunächst die Frage stellen, ob er überhaupt geboren wurde.

Hat Jesus überhaupt existiert?

2012 verfasste der Neutestamentler Bart Ehrman ein Buch zu dieser Frage: *Did Jesus Exist? The Historical Argument for Jesus of Nazareth*. Ehrman glaubt nicht an Gott. Tatsächlich hat er sogar ein Vermögen damit verdient, Bücher zu schreiben, die den historischen christlichen Glauben infrage stellen. Dennoch erklärt Ehrman: „Tatsache ist: Was auch immer Sie sonst von Jesus halten mögen – er hat definitiv existiert."[2] Ehrman sagt, dieser Standpunkt „wird eigentlich von jedem Experten auf dem Planeten vertreten".[3] Es ist nicht naiv zu glauben, dass Jesus vor 2000 Jahren auf der Erde weilte. Es ist vielmehr naiv, es nicht zu glauben.

Welche Hinweise führen also all diese Experten zu dem Schluss, dass Jesus wirklich existierte? Die ergiebigsten Quellen, die uns für das Leben Jesu vorliegen, sind die vier Biografien im neutestamentlichen Teil der Bibel: die sogenannten „Evangelien" von Matthäus, Markus, Lukas und Johannes. Ehrman bezeichnet diese Evangelien als

„die ältesten und besten Quellen, die wir für unser Wissen über das Leben Jesu haben", und sagt, dies entspreche „der Meinung aller ernsthaften Altertumsforscher jeder Art – von überzeugten evangelikalen Christen bis hin zu eingefleischten Atheisten".[4] Wir werden uns die Evangelienberichte zu Jesu Geburt gleich noch angucken. Doch selbst wenn wir die Evangelien völlig außer Acht lassen, enthalten zahlreiche antike Dokumente von nicht christlichen Autoren ebenfalls Verweise auf Jesus Christus. Diese Informationsfetzen werden häufig beiläufig in Schriftstücken erwähnt, die sich vor allem mit anderen Dingen beschäftigen. Nichtsdestotrotz können wir aus diesen nicht biblischen Quellen die Grundlagen von Jesu Leben und Tod rekonstruieren.

Ein solcher Verweis auf Jesus findet sich in einem Text, der gegen 93 n. Chr. von dem jüdischen Historiker Josephus verfasst wurde. Josephus berichtet, dass im Jahr 62 n. Chr. (ungefähr drei Jahrzehnte nach Jesu Tod) der jüdische Hohe Priester „den Bruder des Jesus, der Christus genannt wird, mit Namen Jakobus, sowie noch einige andere" steinigen (d. h. hinrichten) ließ.[5] Das passt zu dem, was die Bibel sagt. Zu diesem Zeitpunkt in der Geschichte lebte Gottes Volk (die Juden) gerade unter der repressiven Herrschaft der Römer. Doch Gott hatte versprochen, einen besonderen König – den „Christus" – zu senden, um es zu retten. In den Evangelien erhob Jesus den Anspruch, jener

Christus zu sein. Das Neue Testament identifiziert zudem Jakobus als Jesu Bruder und als einen Anführer der frühen Kirche.[6] Die Christen wurden von den jüdischen Obrigkeiten als Häretiker betrachtet. Daher ergibt es durchaus Sinn, dass Jakobus durch Steinigung hingerichtet wurde.

Einen weiteren Verweis auf Jesus Christus finden wir in einem Dokument aus dem frühen 2. Jahrhundert, das aus der Feder des römischen Historikers Cornelius Tacitus stammt. Tacitus berichtet, dass der Kaiser Nero die Schuld an dem großen Brand von Rom im Jahr 64 n. Chr. auf eine Gruppe schob, „die, wegen ihrer Schandtaten verhaßt, vom Volk *Chrestianer* genannt wurden" (eine andere Schreibweise für Christen). Tacitus erklärt außerdem, wer diese Christen waren:

> *„Der Mann, von dem sich dieser Name herleitet, Christus, war unter der Herrschaft des Tiberius auf Veranlassung des Prokurators Pontius Pilatus hingerichtet worden; und für den Augenblick unterdrückt, brach der unheilvolle Aberglaube wieder hervor, nicht nur in Judäa, dem Ursprungsland dieses Übels, sondern auch in Rom, wo aus der ganzen Welt alle Greuel und Scheußlichkeiten zusammenströmen und gefeiert werden."*[7]

Tacitus war definitiv kein Fan der Christen! Aber sein Bericht bestätigt, was die Evangelien behaupten: Dass Jesus, den man den Christus nannte, unter der Herrschaft des Kaisers Tiberius und unter der Autorität von Pontius Pilatus hingerichtet wurde, der von 26 bis 36 n. Chr. Statthalter von Judäa war.

Im frühen 2. Jahrhundert bereitete das Christentum den Römern inzwischen wirklich Kopfzerbrechen. Plinius der Jüngere (von ca. 109–111 römischer Statthalter in der Türkei) schrieb einen Brief an den Kaiser, in dem er diesen um Rat zur Verfolgung der Christen bat. Plinius verlangte von denen, die des Christseins verdächtigt wurden, die römischen Götter anzubeten, der Statue des Kaisers zu huldigen und Christus zu verfluchen. Er wusste: Echte Christen würden so etwas nicht tun. Manche von denen, die sich dazu bekannten, früher Christen gewesen zu sein, sagten, sie hätten die Gewohnheit gehabt, sich an einem bestimmten Wochentag frühmorgens zu versammeln und „Christus wie einem Gott einen Wechselgesang" zu singen.[8] Im Unterschied zu den meisten ihrer religiösen Zeitgenossen betrachteten die Christen Jesus nicht nur als einen anbetungswürdigen Gott unter vielen, sondern vielmehr als den einen wahren Gott. Jesus anzubeten bedeutete, niemand anderen anzubeten.

Um mehr über das Christentum herauszufinden, folterte Plinius „zwei Mägde [...], die Dienerinnen genannt werden".[9] Seine Auswahl war repräsentativ für die Sorte Leute, aus denen sich die frühe Gemeinde zusammensetzte. Der christliche Glaube schien sich unter Frauen und Sklaven besonderer Beliebtheit zu erfreuen. Tatsächlich witzelte der griechische Philosoph Celsus im 2. Jahrhundert: Christen „wollen [...] offenbar nur die einfältigen, gemeinen und stumpfsinnigen Menschen, und nur Sklaven, Weiber und Kinder überreden, und vermögen dies auch".[10] Plinius hingegen macht deutlich, dass „die Seuche dieses Aberglaubens" des Christentums „viele jeden Alters, jeden Ranges, auch beiderlei Geschlechts" infiziert hatte.[11]

Diese drei frühen Texte liefern uns neben der Bibel Hinweise darauf, dass Jesus eine jüdische Führungspersönlichkeit im frühen 1. Jahrhundert war, dass er den Anspruch erhob, der Christus zu sein, dass er zwischen 26 und 36 n. Chr. von den Römern hingerichtet und anschließend von seinen Nachfolgern als Gott angebetet wurde.

An dieser Stelle denken Sie möglicherweise: „Okay, ich verstehe, dass Jesus eine reale Person war, die den Anspruch erhob, der Christus zu sein, und von den Römern hingerichtet wurde. Aber die Bibel verlangt von uns, viel mehr als das zu glauben." Da haben Sie recht! Ähnlich wie die junge Amy Pond Bilder von ihrem „zerlumpten Doktor" malte und alle dachten, sie habe Wahnvorstellungen, so bedeutet der Glaube an die Weihnachtsgeschichte *tatsächlich*, ein paar wirklich unglaubliche Dinge zu glauben – Dinge, von denen griechische Philosophen dachten, nur ungebildete Sklaven, Frauen und Kinder würden einem so etwas abkaufen! Ein paar dieser Dinge werden wir uns in Kapitel 3 anschauen.

Doch nicht alles, was Sie evtl. über Weihnachten gehört haben, stammt wirklich aus der Bibel. Im Laufe der Zeit ist Weihnachten zu etwas geworden, das in unserer kollektiven Vorstellung alle möglichen Zusätze einschließt – wie zum Beispiel die Vorstellung, Jesus wäre mitten im tiefsten Winter geboren worden, und es hätte zu der Zeit geschneit, oder an seiner Geburt wären ein kleiner Esel, ein brummeliger Gastwirt, ein Stall und ein kleiner Trommler beteiligt gewesen *(Pa-rum-pum-pum-pum)*. Nichts davon findet sich in den Evangelien. Was sagen die Evangelien dann *wirklich*?

Wie lautet die Weihnachtsgeschichte?

Das Matthäus- und das Lukasevangelium stellen uns Maria vor: eine junge jüdische Frau, die im 1. Jahrhundert in Judäa lebte. Maria war mit einem Mann namens Josef verlobt (es handelte sich dabei um eine rechtlich bindende Form einer Verlobung). Doch wie Matthäus es euphemistisch formuliert: „Als nämlich Maria, seine Mutter, dem Josef verlobt war, wurde sie, ehe sie zusammengekommen waren, schwanger befunden von dem Heiligen Geist" (Matthäus 1,18*). Lukas berichtet

---

* Das heißt: Matthäusevangelium, Kapitel 1, Vers 18.

uns, dass Maria von einem Engel namens Gabriel vorgewarnt wurde, dass dies passieren würde. Gabriel wies Maria an, ihren Sohn Jesus zu nennen. Er sagte ihr, Jesus sei der verheißene König, der für immer über Gottes Volk herrschen würde (Lukas 1,26-38). Verständlicherweise war Maria überrascht – sowohl über den Engel als auch über seine Botschaft! Aber sie glaubte Gabriels Worten und verfasste anschließend eines der großartigsten Lobgedichte für Gott in der gesamten Bibel (Lukas 1,46-55)!

Matthäus erzählt die Geschichte aus Josefs Perspektive. Als er herausfand, dass Maria schwanger war, nahm Josef an, sie hätte ihn betrogen. Doch dann begegnete Josef im Traum einem Engel, der ihm sagte, der Vater des Kindes sei Gott persönlich. Der Engel wies Josef an, das Baby Jesus zu nennen (was bedeutet: „Gott ist Rettung"), und erklärte ihm: „... denn er wird sein Volk retten von seinen Sünden" (Matthäus 1,21).

Das ist eine überraschende Wendung.

Im 1. Jahrhundert warteten die Juden auf jemanden, der sie vor den Römern retten würde. Die Worte des Engels legten jedoch nahe, dass sie ein viel größeres Problem hatten. In *Doctor Who* stellt sich heraus, dass der Riss in Amys Zimmerwand ein Riss im Universum selbst war – ein Riss, der an ihrer Familie, ihrer Stadt und ihrer Welt nagte. Der Bibel zufolge gibt es auch in unserem Universum einen Riss – einen Riss, der uns von Gott und voneinander abschneidet. Es ist ein Riss, der direkt durch jedes menschliche Herz verläuft: ein schrecklicher Riss namens Sünde. Dem Engel zufolge war dieses Baby gekommen, um sein Volk *von seinen Sünden* zu retten. Er war der versprochene „Immanuel", was „Gott mit uns" bedeutet. In der Person Jesu kam Gott selbst zur Erde, um es seinem Volk zu ermöglichen, wieder bei ihm zu sein (Matthäus 1,22-23). Darin bestand der Auftrag Jesu: sündige Menschen zurück in Gottes Arme zu bringen.

Im Unterschied zur Jungfrauengeburt des *Star-Wars*-Charakters Anakin Skywalker verorten die Evangelien die Geburt Jesu jedoch nicht vor langer, langer Zeit in einer weit, weit entfernten Galaxie. Sie knüpfen sie an eine reale Zeit und einen realen Ort. Das ist kein mythologischer Bericht. Die präzise Datierung ist allerdings auch nicht ganz einfach. Matthäus und Lukas erwähnen beide, dass Jesus während der Herrschaft von König Herodes geboren wurde, der im Jahr 4 v. Chr. starb. Lukas behauptet jedoch außerdem: Während Marias Schwangerschaft musste sich Josef in seiner Heimatstadt Bethlehem melden, um sich registrieren zu lassen. „Diese Einschreibung geschah als erste, als Quirinius Statthalter von Syrien war" (Lukas 2,2). Basierend auf den Schriften des jüdischen Historikers Josephus datieren viele Forscher die Volkszählung unter Quirinius ins Jahr 6 n. Chr. – grob zehn Jahre nach Herodes'

Tod. Manche Kritiker schließen daraus, dass wir die Evangelien als historische Dokumente vernachlässigen können. Die Geburt Jesu in Bethlehem war deshalb von Bedeutung, weil Israels archetypischer König – König David – ebenfalls in Bethlehem geboren worden war. Deshalb (so argumentieren sie) müsse Lukas die Volkszählung erfunden haben, um Maria und Josef für die Geburt nach Bethlehem zu bringen.

Doch so einfach ist das nicht. Bei allen üblichen Tests für historische Dokumente schneiden die Evangelien nämlich ziemlich gut ab. Das werden wir uns im nächsten Kapitel noch genauer angucken. Bezogen auf die antike Geschichtsschreibung wurden die Evangelien sehr bald nach den Ereignissen verfasst, die sie beschreiben, und die Manuskriptbelege für die Evangelien sind im Vergleich zu anderen Dokumenten, die wir für historisch halten, außergewöhnlich gut.[12] Obendrein beweisen die Autoren der Evangelien ein bemerkenswert tiefes Lokalwissen über die Region und die Zeit, in der Jesus lebte.[13] Wissenschaftler haben verschiedene potenzielle Lösungen für die scheinbare Diskrepanz zwischen dem, was Lukas und Josephus jeweils über die Volkszählung sagen, präsentiert. Ein Ansatz lautet: Lukas hatte recht, und Josephus war eine frühere Volkszählung nicht bekannt.[14] Und wenn Sie einmal darüber nachdenken, so hätte Lukas auch etwas viel Unproblematischeres behaupten können, wenn es ihm nur darum gegangen wäre, einen Grund zu erfinden, um Maria und Josef für die Geburt nach Bethlehem zu bringen: zum Beispiel, dass Josefs Lieblingsonkel sie eingeladen hatte! Es wäre also nicht vernünftig, das Lukasevangelium allein aufgrund dieser Schwierigkeit abzutun.

Als sie erst einmal in Bethlehem angekommen waren, suchten Maria und Josef nicht das beste Hotel in der Stadt auf, wie es für die Geburt eines Königs angemessen gewesen wäre. Stattdessen berichtet Lukas uns, dass „in der Herberge kein Raum für sie war", sodass Jesus am Ende in einer Krippe schlief, einem Futtertrog für Tiere (Lukas 2,7). Das muss nicht heißen, dass er in einem Stall geboren wurde. Für Dorfhäuser war es zu jener Zeit nicht ungewöhnlich, Krippen zu haben. Das Detail der Krippe zeigt uns allerdings, dass Jesus nicht in Wohlstand und Privilegien hineingeboren wurde – ganz im Gegenteil. Lukas erzählt uns auch, dass ein Engel ein paar Hirten (die in jener Kultur als Gesindel galten) vor Ort erschien, um ihnen zu sagen, dass der Christus geboren worden war und wo sie ihn finden würden: in der bereits erwähnten Krippe (Lk 2,8-20).

Matthäus stellt uns beeindruckendere Besucher vor: Weise aus dem Osten, die von einem Stern nach Jerusalem geführt worden waren. Ziemlich taktlos fragten sie den amtierenden, von den Römern eingesetzten König der Juden, König Herodes: „Wo ist der König der Juden, der geboren worden ist? Denn wir haben seinen Stern im Morgenland gesehen und sind gekommen, ihm zu huldigen" (Matthäus 2,2). Herodes war besorgt und fragte die führenden jüdischen Theologen, wo der Christus geboren werden sollte. Sie nannten ihm Bethlehem. Also schickte Herodes die Weisen los, um Jesus zu finden, unter dem Vorwand, er wolle ihm ebenfalls huldigen. (In Wirklichkeit wollte Herodes Jesus umbringen; er war nämlich mit dem amtierenden König der Juden vollkommen zufrieden!) Der Stern zog vor den Weisen her, "bis er kam und oben über der Stelle stand, wo das Kind war" (Matthäus 2,9). Als sie Jesus fanden, fielen sie nieder, beteten ihn an und schenkten ihm Gold, Weihrauch und Myrrhe (Matthäus 2,11). Diese drei Geschenke begründeten die spätere Weihnachtstradition, diese Weisen als die "drei Heiligen Könige" zu bezeichnen. Das entspricht allerdings nicht dem, was die Bibel sagt. Matthäus deutet jedoch in der Tat an, dass diese Sterndeuter in Israel Außenseiter waren. Jesus war nicht nur für das jüdische Volk gekommen. Er wurde von Anfang an auch von Ausländern angebetet.

Diese Geschichte von einem göttlichen Kind, das in einer Krippe liegt, von Engeln angekündigt und von Herrschern gehasst, aber von Reichen und Armen gleichermaßen angebetet wird – von Juden und Ausländern, von sterndeutenden Gelehrten und ungebildeten Hirten –, hat etwas sehr Bewegendes an sich. Sie ist eine wunderbare Weihnachtsgeschichte für Kinder – sofern man die Geschichte beendet, bevor Herodes alle Jungen unter zwei Jahren in der Region umbringen lässt! Doch sie ist gleichermaßen eine Geschichte, die historische Wurzeln hat.

Obwohl sie erst fünf ist, war es also von meiner Tochter nicht naiv, ihren Freunden zu erzählen, der Weihnachtsmann sei nicht echt, Jesus aber schon. Selbst wenn wir die Evidenz der Evangelien außen vor lassen, war Jesus zweifelsohne eine reale Person in der Menschheitsgeschichte. Es ist nicht zu leugnen, dass seine Geburt, sein Leben, sein Tod und seine angebliche Auferstehung die Welt verändert haben.

Können wir die Evangelien ernst nehmen?

In *Harry Potter und der Halbblutprinz* zitiert Dumbledore Harry für eine Reihe von Lektionen in sein Büro. Dumbledore hat Hinweise über das Leben des bösen Lord Voldemort zusammengetragen und Erinnerungen aus verschiedenen Quellen gewonnen (die von Hauselfen bis zu seinem eigenen Gehirn reichen). Mithilfe seines magischen „Denkariums" lädt Dumbledore Harry ein, tief in die Vergangenheit anderer Leute einzutauchen. Eine dieser Erinnerungen ist 60 Jahre alt. Zwei wurden Leuten kurz vor ihrem Tod abgenommen. Eine ist manipuliert worden, sodass Dumbledore Harry losschickt, um das Original wiederzufinden. Die Einzelheiten aus Voldemorts Leben – seine Herkunftsfamilie, seine Worte, seine Taten, sogar die Prophezeiungen über ihn – all das sind essenzielle Informationen.

Zu Beginn seines Evangeliums erzählt Lukas uns, wie er an seine Informationen über Jesus gekommen ist. Wie Dumbledore hat er Informationen von denen zusammengetragen, „die

von Anfang an Augenzeugen [...] gewesen sind"
(Lukas 1,2). Das Johannesevangelium – das letzte
Evangelium, das aufgeschrieben wurde – erhebt
sogar einen noch kühneren Anspruch: nämlich
der Augenzeugenbericht des Jüngers Johannes
höchstpersönlich zu sein (Johannes 21,24).

Aber kann das wirklich wahr sein? Wurden
die Evangelien nicht viel zu lange nach den Ereignissen verfasst, die sie beschreiben, um glaubwürdig zu sein? Können wir sie als Quellen in Bezug
auf Jesu Geburt, sein Leben und seinen Tod ernst
nehmen?

Sind die Evangelien
wie das Stille-Post-Spiel?

Der berühmte Atheist Richard Dawkins behauptet: „Alles, was in den Evangelien steht, hat
durch jahrzehntelange mündliche Überlieferung
gelitten; nach Art der Stillen Post kam es zu Ver-
zerrungen und Übertreibungen, bevor die vier
Texte am Ende aufgeschrieben wurden."[15] Ich
bin in England aufgewachsen, wo wir manchmal
„Stille Post" spielten. Dabei sitzt ein Haufen Kinder in einem Kreis zusammen. Das erste Kind flüstert seinem Sitznachbarn eine Botschaft ins Ohr.
Dieses flüstert sie dem nächsten Kind ins Ohr und
so weiter. Das letzte Kind sagt die Botschaft, die es
gehört hat, laut, und alle lachen darüber, wie sehr
sie sich unterwegs verändert hat. Richard Dawkins und Bart Ehrman gebrauchen beide dieses

Spiel als Analogie dafür, wie die Evangelien entstanden sind. Ist dieser Vergleich fair?

Die meisten Wissenschaftler gehen davon aus, dass das Markusevangelium als Erstes verfasst wurde – etwa 35 bis 45 Jahre nach Jesu Tod. Vor dieser Zeit wurden die Geschichten über Jesus mündlich weitergegeben. Im Unterschied zu „Stille Post" wurden sie jedoch nicht entlang einer einzigen Kette weitergeflüstert. Sie wurden in Synagogen und auf Marktplätzen und von Haus zu Haus verkündet. Und statt von einer einzigen Quelle abhängig zu sein (wie dem ersten Kind in der Reihe), gab es Tausende Zeugen, die miterlebt hatten, wie Jesus gepredigt und Wunder getan hatte. Große Menschenmassen hatten sich zusammengeschart, um ihn lehren zu hören. Eine kleinere Truppe von Jüngern war einige Jahre mit ihm umhergereist. Zwölf dieser Jünger (auch bekannt als „Apostel") waren in besonderer Weise dazu auserwählt worden weiterzugeben, was Jesus lehrte. Wie das Kind, das das Stille-Post-Spiel anfängt, wussten sie aus erster Hand, was Jesus gesagt und getan hatte. Falls jemals irgendwelche Zweifel aufkämen, während sich die Botschaft ausbreitete, konnte man sie zurate ziehen.

In seinem bahnbrechenden Buch *Jesus and the Eyewitnesses* argumentiert der renommierte Neutestamentler Richard Bauckham, dass die Evangelien zu eben jenem Zeitpunkt niedergeschrieben wurden, weil die ursprünglichen Augenzeugen langsam ausstarben. Bauckham zeigt, dass konkrete Personen in den Evangelien als Augenzeugen benannt werden. Es war eine Art zu sagen: „Wenn ihr mir nicht glaubt, dann fragt Maria Magdalena – sie hat es mit eigenen Augen gesehen!" Im Fall des Johannesevangeliums argumentiert Bauckham, es sei in der Tat von Johannes selbst verfasst worden.[16] Wenn das wahr ist, so ist das Johannesevangelium nicht wie der Moment bei „Stille Post", in dem das letzte Kind sagt, was es gehört zu haben meint. Eher wie der Moment, in dem das erste Kind sagt, wie die ursprüngliche Botschaft eigentlich lautete. Aber hätten sich die Leute *wirklich* 35, 40 oder sogar 60 Jahre später daran erinnern können, was sie von Jesus gesehen und gehört hatten?

War die Zeitdifferenz nicht einfach zu groß?

Mein älterer Bruder wurde an Heiligabend geboren. Meine Mutter erinnert sich noch an die Einzelheiten seiner Geburt. Sie weiß auch noch genau, wie unbeeindruckt sie davon war, dass mein Papa ein Flötentrio engagiert hatte, das für sie spielte, als sie das Baby nach Hause brachte! (Mein Papa meinte es gut. Aber glauben Sie mir, wenn Ihre Frau gerade ein Kind geboren hat, dann will sie nicht höflich drei Fremden in ihrem Wohnzimmer zuhören müssen.) Das alles ist vor mehr als 40 Jahren passiert – das ist ungefähr derselbe zeitliche Abstand wie der zwischen dem öffentlichen Wirken Jesu und der Niederschrift des ersten Evangeliums (Markus).

Eine Generation früher erzählen meine Großeltern die Geschichte davon, wie meine Oma die Wehen bekam, als sie mit meiner Mama schwanger war. Es war ein kalter Wintertag, und mein Opa hatte beschlossen, Lebkuchen zu backen. Doch statt ein ganzes Backblech zu füllen, wie er es normalerweise tat, verwendete er eine Muffinform. Ihm war allerdings nicht klar, dass kleinere Lebkuchen viel schneller fertig gebacken sein würden. Als er sie aus dem Ofen holte, waren sie steinhart geworden. Da pfefferte er einen Lebkuchen an die Wand, und meine Oma musste so lachen, dass die Wehen einsetzten! Das ist mehr als 60 Jahre her – ungefähr derselbe zeitliche Abstand wie zwischen dem Tod Jesu und der Abfassung des letzten Evangeliums (Johannes). Meine Großeltern erinnern sich beide noch gut an den Tag.

Bei genauem Nachdenken ergibt die Vorstellung, Menschen könnten sich unmöglich an die wichtigen Ereignisse erinnern, die vor 35 oder mehr Jahren passiert sind, keinen Sinn. Falls Sie älter als 40 Jahre sind, so erinnern Sie sich vermutlich trotzdem noch an bedeutende Ereignisse aus Ihrer Kindheit. Falls Sie älter als 50 Jahre sind, so werden Sie sich ganz gewiss noch an Dinge aus Ihrer Teenagerzeit erinnern. Wir erinnern uns nicht an *alles*, was wir vor Jahren einmal erlebt haben. Aber wir behalten die Highlights aus wichtigen Gesprächen und Ereignissen.

Jesus zu begegnen war absolut lebensverändernd. 40, 50 oder sogar 60 Jahre hätten die Erinnerungen daran kaum auslöschen können. Und neben den Tausenden, die ihm zu unterschiedlichen Zeitpunkten begegneten, wurden die Jünger Jesu dazu ausgebildet, seine Worte zu behalten. Genau wie Schauspieler heute riesige Teile eines Drehbuchs auswendig lernen, lernten Jünger im 1. Jahrhundert die Lehre ihres Rabbis auswendig. Das war ihr Job. In der Zeit zwischen dem Tod Jesu und der Abfassung der Evangelien hatten die Nachfolger Jesu jede Gelegenheit, die sich ihnen bot, genutzt, um seine Botschaft weiterzugeben. Wie Schauspieler, die auf einer Welttournee ein und dasselbe Stück aufführen, reisten sie umher und probten das Skript ihres Meisters.

Woher können wir jedoch wissen, dass sie nicht übertrieben?

Wurden die Geschichten über Jesus nicht mit der Zeit ausgeschmückt?

An einer Stelle in der *Harry-Potter*-Reihe werden Harrys Freunde Ron und Hermine von Wassermenschen am Boden eines Sees gefangen gehalten. Anschließend wollen alle unbedingt ihre Geschichte hören. Zu Anfang entspricht Rons Version noch der von Hermine. Doch „Harry fiel auf, dass Ron seine Geschichte jedes Mal ein wenig anders erzählte". Eine Woche nach dem Ereignis „erzählte Ron die nervenzerfetzende Geschichte einer Entführung, bei der er allein gegen fünfzig schwer bewaffnete Wassermenschen gekämpft habe, die ihn erst hätten zusammenschlagen müssen, um ihn fesseln zu können".[17] Richard Dawkins stellt die Evangelien als das Ergebnis eines Prozesses dar, der Rons Erzählungen ähnelt: Dabei hätten zahlreiche Menschen über viele Jahre hinweg die Geschichten verzerrt und ausgeschmückt. Er stellt sich „die ersten Anhänger der jungen christlichen Religion" als Leute vor, die „besonders erpicht darauf" waren, „Geschichten oder Gerüchte über Jesus weiterzuerzählen, ohne ihren Wahrheitsgehalt zu überprüfen".[18] Hier ein Wunder. Da eine Jungfrauengeburt. Und so wurde ein charismatischer Prediger im Laufe der Jahre in der Vorstellung der Menschen zu einem Gott. Diese Hypothese birgt jedoch zahlreiche Probleme.

Erstens war das erstaunlichste Wunder Jesu seine Auferstehung von den Toten. Falls Dawkins' These korrekt wäre, so würden wir erwarten, dass diese Behauptung erst in späteren Schriften auftaucht – so wie Rons Erzählungen zunehmend fantastischer wurden. Doch schon in den *frühesten* bekannten Schriften über Jesus ist die Auferstehung ein Hauptthema: nämlich in einigen Briefen des Apostels Paulus. Obendrein wären jede Menge Hermines zur Stelle gewesen, die einen aus Effekthascherei übertreibenden

Jünger wie Ron korrigiert hätten, wenn er die Auferstehung erfunden hätte. Doch die Evangelien hingen nicht von dem Zeugnis einer einzelnen Person ab. Vielmehr behaupteten viele Menschen, den auferstandenen Jesus gesehen zu haben.

Zweitens gilt: Zu behaupten, die ersten Anhänger des christlichen Glaubens hätten die Auferstehung erfunden, ist, als würde man behaupten, die ersten Facebook-Nutzer hätten die sozialen Medien erfunden. Ohne die Auferstehung hätte es gar keine junge Religion mit eifrigen neuen Gläubigen gegeben! Die christliche Botschaft lautet: Gott sandte seinen Sohn, damit dieser als Mensch geboren würde, um für unsere Sünden zu sterben und wieder zum Leben auferweckt zu werden – damit jeder, der auf Jesus vertraut, für immer mit ihm leben kann. Die Auferstehung ist der Motor, der diese Botschaft antreibt, kein optionales Extra für die Luxusausstattung. Ohne die Auferstehung hätte es keine christliche Bewegung gegeben, die bereit war, die Welt zu verändern. Jesus wäre nur ein weiterer gescheiterter Messias gewesen.

Drittens steigerte Ron mit seiner Ausschmückung der Geiselgeschichte seine Beliebtheit. Die Behauptung, Jesus sei von den Toten auferstanden und nun der rechtmäßige Herr über alles, brachte vielen der ersten Christen hingegen den Tod. Wie wir im letzten Kapitel gesehen haben, war Jesu eigener Bruder Jakobus bereit, sich zu Tode steinigen zu lassen, weil er verkündigt hatte,

Jesus sei der auferstandene König. Offensichtlich stellte Jakobus diese Behauptung nicht auf, um seinen eigenen Ruf zu bessern.

Viertens merkt Dawkins selbst an: Die Vorstellung, Jesus sei Gottes verheißener König, muss auf die Juden des 1. Jahrhunderts „ziemlich hirnrissig" gewirkt haben.[19] Es gab jede Menge Freiheitskämpfer, die versuchten, eine Armee gegen die römische Oberherrschaft aufzustellen. Sie alle neigten dazu, dasselbe Ende zu nehmen: hingerichtet auf Roms blutigstem Folterinstrument. Der Tod am Kreuz bedeutete entweder das Ende der Bewegung oder die Übergabe der Führerrolle an einen anderen Kandidaten. Zu behaupten, Jesus sei von den Toten *auferstanden,* und die Leute sollten ihm *weiter* nachfolgen, war ungeheuerlich. Einfach ausgedrückt: So etwas hätte man sich nicht ausgedacht.

Das bringt uns zu einem weiteren Punkt: Statt die ersten Christen in einem guten Licht dastehen zu lassen, sind die Evangelien wirklich schreckliche PR – anders als Rons Geschichte über seinen heroischen Sieg über die Wassermenschen.

Die Evangelien sind
wirklich (wirklich) peinlich

Schließen Sie einmal die Augen und denken Sie an Ihren beschämendsten Moment. (Machen wir einen Deal: Ich erzähle Ihnen meinen nicht, und Sie brauchen mir Ihren auch nicht zu erzählen!)

Jetzt stellen Sie sich einmal vor, Ihr Moment größter Schmach wäre in den vier meistverkauften Büchern aller Zeiten schriftlich festgehalten worden. Genau das passierte dem Apostel Petrus.

Petrus war einer der engsten Freunde Jesu. Man nimmt an, dass das Markusevangelium auf seinen Erinnerungen basiert. Wenn ich Petrus wäre, hätte ich dafür gesorgt, dass mich der Bericht über meine Zeit mit Jesus großartig dastehen lässt. Doch statt diese Momente des Versagens auszuradieren, berichtet Markus, wie Petrus Jesus gegenüber darauf beharrte, er würde ihn niemals verlassen (Markus 14,29), und wie er noch in derselben Nacht dreimal leugnete, Jesus überhaupt zu kennen (Markus 14,66-72)! Auch die anderen Evangelien berichten von diesem Vorfall. Ron schmückt seine Geschichte aus, um sich selbst als Held dastehen zu lassen. Petrus dagegen erzählt die Geschichte seines feigsten moralischen Versagens. Er war einer der Hauptanführer der frühen Gemeinde. Wenn er zuließ, dass diese Geschichte erzählt wird, dann wohl nur, weil sie wahr ist.

Und das ist nicht die einzige Stelle, an der die Evangelien peinlich waren.

Wie wir bereits gesehen haben, ist die Auferstehung Jesu der Motor hinter dem christlichen Glauben. Würde ich mir eine Geschichte ausdenken, dann würde ich versuchen, sie so überzeugend klingen zu lassen wie möglich. Aber laut allen vier Evangelien waren die ersten Zeugen der Auferstehung Jesu Frauen. Wenn man in der jüdischen Kultur des 1. Jahrhunderts eine Geschichte glaubhaft aussehen lassen wollte, hätte man als Letztes auf das Zeugnis von Frauen verwiesen. Ihre Aussage wäre vor Gericht nicht akzeptiert worden. Sogar die Apostel waren skeptisch. Als die Frauen ihnen vom leeren Grab berichteten, schreibt Lukas: „Es waren aber die Maria Magdalena und Johanna und Maria, des Jakobus Mutter, und die Übrigen mit ihnen. Sie sagten dies zu den Aposteln. Und diese Reden schienen ihnen wie Geschwätz, und sie glaubten ihnen nicht" (Lukas 24,10-11).

Das ist für die frühen christlichen Anführer ein weiterer zutiefst beschämender Moment. Doch die ersten Leser der Evangelien hätten möglicherweise ein wenig mitfühlen können. Einer sonderbaren Geschichte, erzählt von einem Haufen Frauen, brauchte man keinen Glauben zu schenken. Warum präsentierten dann alle vier Verfasser der Evangelien die Frauen als die ersten Zeugen? Das ergibt nur Sinn, wenn es genau so geschehen war. In der Tat argumentiert Bauckham, dass diese Frauen deshalb von Lukas namentlich genannt werden, weil sie seine Augenzeugenquellen waren.[20]

Was ist mit den Unterschieden zwischen den Evangelien?

Ich hoffe, Ihre Neugierde inzwischen genug geweckt zu haben, sodass Sie einmal selbst probieren, die Evangelien zu lesen. Ich kann Ihnen das nur wärmstens empfehlen. Sie sind die meistverkauften Bücher aller Zeiten. Außerdem könnten Sie das längste Evangelium (Lukas) in derselben Zeit lesen, die ein Harry-Potter-Film dauert! Würden Sie allerdings alle vier Evangelien nacheinander lesen, so würden Ihnen gewisse Unterschiede auffallen. Manche Geschichten erscheinen in allen vier Evangelien. Andere nicht. Zum Beispiel erzählen nur Matthäus und Lukas die Geschichte von der Geburt Jesu. Manchmal erscheint eine Geschichte, die Jesus erzählte, in einem Evangelium an einer Stelle und in einem anderen an einer anderen und mit etwas anderem Wortlaut. Manchmal berichten die Evangelien in unterschiedlicher Reihenfolge von denselben Ereignissen. All das zusammen kann zu dem Trugschluss führen, die Evangelien seien nicht vertrauenswürdig – egal, ob im Hinblick auf ihre Aussagen über Weihnachten oder über das restliche Leben Jesu. Schauen wir uns daher die verschiedenen Arten von Unterschieden der Reihe nach an.

Zunächst beansprucht keines der Evangelien, eine erschöpfende Darstellung zu liefern. Das Johannesevangelium endet mit folgenden Worten: „Es gibt aber auch viele andere Dinge, die Jesus getan hat; wenn diese alle einzeln niedergeschrieben würden, so würde, scheint mir, selbst die Welt die geschriebenen Bücher nicht fassen" (Johannes 21,25). Möglicherweise denken Sie, die wundersame Geburt Jesu sei ein Detail, das Johannes nicht auslassen wollen würde. In Kapitel 4 werden wir uns jedoch den Anfang des Johannesevangeliums ansehen. Dabei werden Sie sehen, dass er einen anderen Weg wählte, um uns zu sagen, dass Jesus Gottes Sohn ist. Zusammen funktionieren die vier Evangelien wie ein Streichquartett. Ein Instrument für sich genommen kann ergreifend schön sein. Aber die kombinierte Wirkung mehrerer Instrumente ist sogar noch überwältigender, weil jedes Instrument eine andere Variante derselben Themen in die Harmonie einbringt.

Zweitens klingt die Tatsache, dass die Evangelien manchmal verschiedene Aussprüche Jesu an unterschiedlichen Stellen und mit verschiedenen Wortlauten wiedergeben, zwar zunächst vielleicht verdächtig. Ist sie aber nicht. In den letzten paar Jahren habe ich Dutzende Vorträge an unzähligen verschiedenen Orten gehalten. Oftmals verwende ich Material wieder, stelle es aber für ein neues Publikum etwas neu zusammen. Das ist auch heute noch für Prediger, Politiker und Künstler gängige Praxis. Wie viel mehr noch zu einer Zeit, in der es keine Massenmedien gab!

Und wie sieht es mit der unterschiedlichen Reihenfolge in den einzelnen Evangelien aus? Es leuchtet nicht wirklich ein, warum die Reihenfolge, in der Jesus Dinge tat, in unterschiedlichen Berichten berechtigterweise unterschiedlich sein kann. Dabei muss es sich doch um einen Fehler handeln! Doch bei genauem Hinsehen sind wir es durchaus gewohnt, dass Geschichtenerzähler nicht immer chronologisch vorgehen. Mein Mann Bryan und ich haben kürzlich die Krimiserie *Broadchurch* geguckt. Im Verlauf der Handlung gab es zahlreiche Rückblenden. Bryan ist ein schlauer Kerl mit einem Doktortitel in Ingenieurwissenschaften. Doch irgendetwas an der Präzision seines Gehirns führt dazu, dass Rückblenden darin nicht miteinkalkuliert werden können. Ich habe gelernt, ihn einfach darauf hinzuweisen, wenn es sich um eine handelt!

Warum nutzen Filmemacher Rückblenden? Nur, um Ingenieure aus der Fassung zu bringen? Nein. Sie laden uns ein, Verbindungen zu sehen zwischen dem, was damals geschah, und dem, was gerade geschieht. Genauso gehen Filmbiografien vor. Kürzlich sah ich einen Film mit dem Titel *Hillbilly-Elegie*, der auf den Memoiren eines Mannes namens J. D. Vance basiert, der inzwischen etwa Mitte 30 ist. Der Film sprang regelmäßig in der Zeit vor und zurück. Manchmal tun die Autoren der Evangelien dasselbe. Sie ordnen die Ereignisse, von denen sie berichten, auf eine bestimmte Art an, um uns dadurch die Verbindung zwischen den verschiedenen Episoden zu verdeutlichen.

So wie wir alle (mit Ausnahme meines Mannes) es gewohnt sind, Rückblenden in Filmen richtig einzuordnen, so erwarteten die ersten Leser der Evangelien auch nicht unbedingt eine chronologische Reihenfolge – auch nicht bei einem historischen Bericht.

„Okay", sagen Sie nun möglicherweise, „vielleicht würden die Evangelienberichte über das Leben Jesu also als historische Dokumente durchgehen … wenn sie nur realistische Ereignisse berichten würden! Aber das Leben Jesu, das sie schildern, ist genauso voll von vermeintlicher Magie wie das Leben Voldemorts, das man durch Dumbledores Denkarium sieht!" Da haben Sie recht. Statt rumzulaufen und Menschen umzubringen, heilte Jesus sie. Statt den Tod anderer auszunutzen, um nach Unsterblichkeit zu greifen, starb Jesus selbst freiwillig, um jedem ewiges Leben zu geben, der an ihn glaubt. Von der wundersamen Empfängnis Jesu am Anfang bis hin zu seiner Auferstehung am Ende ist seine Lebensgeschichte voll von unglaublichen Ereignissen. Kann man von vernünftigen, gebildeten Leuten im 21. Jahrhundert noch erwarten, an übernatürliche Geschichten wie eine Jungfrauengeburt zu glauben?

Wie kann man an eine Jungfrauengeburt glauben?

„Das glaube ich nicht!"

Ich hatte meiner damals Vierjährigen gerade den Bericht aus dem Lukasevangelium darüber vorgelesen, wie ein Engel Maria sagte, dass der Heilige Geist sie mit einem Baby schwängern würde, das Gottes eigener Sohn sein würde (Lukas 1,26-38). Da es in der Geschichte zahlreiche unglaubliche Elemente gab, bohrte ich vorsichtig nach, um herauszufinden, welchen Teil sie nicht glaubte. Es stellte sich heraus, dass es der Engel war. Sie war alt genug, um nicht mehr an die Zahnfee zu glauben. Also mussten Engel gewiss auch erfunden sein!*

Ich konnte ihre Skepsis nachvollziehen. Für viele von uns ist der Engel die Fee auf der Spitze des Weihnachtsbaums der Unglaubwürdigkeit. Eine Jungfrauengeburt. Weise, die von einem Stern geführt werden. Das klingt nach dem Stoff, aus

---

* Das war in dem Jahr, bevor sie ihren Freunden sagte, der Weihnachtsmann sei nicht echt, Jesus aber schon!

dem Märchen gemacht sind. Aber in diesem Kapitel möchte ich dafür plädieren, dass diese befremdlich klingenden, übernatürlichen Behauptungen nicht einfach abgetan werden sollten. Denn wenn es einen Gott gibt, der das Universum gemacht hat, dann ist es ziemlich vernünftig, an die Weihnachtswunder zu glauben. Tatsächlich wäre es dann unvernünftig, sie nicht ernst zu nehmen.

Die Empfängnis Jesu und die Empfängnis der Welt

Matthäus und Lukas behaupten beide, Maria sei vom Heiligen Geist Gottes geschwängert worden (Matthäus 1,18; Lukas 1,35). Wenn das für uns unglaubwürdig klingt, dann war es das für die Leute damals auch! Es musste erst ein Engel aufkreuzen, um sowohl Maria als auch Josef davon zu überzeugen, dass eine Jungfrau ein Baby bekommen konnte. Wer ist dann dieser Heilige Geist? Wie können wir glauben, dass Jesus auf diese Weise empfangen wurde? Die Antwort auf beide Fragen liegt ganz im Anfang.

Der Heilige Geist erscheint auf der allerersten Seite der Bibel das erste Mal:

Im Anfang schuf Gott den Himmel und die Erde. Und die Erde war wüst und leer, und Finsternis war über der Tiefe; und der Geist Gottes schwebte über dem Wasser. (1. Mose 1,1-2)

Die erste befremdliche Behauptung der Bibel lautet, dass es einen Gott gibt, der unser gesamtes Universum geschaffen hat. Falls das wahr ist, ist es auch nicht unvernünftig zu glauben, dass Jesus von einer Jungfrau geboren wurde. In der Tat wäre es unvernünftig zu glauben, dass Gott ein ganzes Universum aus dem Nichts schaffen kann, aber nicht, dass er ein Baby ohne menschlichen Vater schaffen kann. Das wäre so, als würde man zu jemandem sagen: „Ich weiß, du bist ein Olympia-Eiskunstläufer, aber ich wette, du kannst keine Acht laufen!"

Können moderne, gebildete Menschen also wirklich an einen Schöpfergott glauben?

Ist der Glaube an einen Schöpfergott nicht veraltet?

Vor 40 Jahren glaubten Soziologen, dass die Zeit der Religion ablaufen würde. Während die Welt moderner, gebildeter und wissenschaftlicher wurde, erwarteten sie, dass sich religiöse Überzeugungen zurückentwickeln würden. Diese Prophezeiung hat sich jedoch nicht erfüllt. Zwar hat die Religionszugehörigkeit weißer Westler in den letzten Jahrzehnten abgenommen. Der Anteil der Menschen, die sagen, dass sie an einen Schöpfergott glauben, *nimmt* jedoch weltweit *zu*.

Heute ist der christliche Glaube das am weitesten verbreitete und ethnisch wie kulturell diverseste Glaubenssystem auf der Welt. Etwa 31 %

der Menschen bezeichnen sich selbst als Christen. Sie sind in etwa gleichmäßig über Europa, Nordamerika, Südamerika und Afrika verteilt. Und die Kirche in China wächst so schnell, dass bis 2030 fast sicher mehr Christen in China als in den Vereinigten Staaten leben werden. Manche Experten glauben, dass China bis 2060 ein mehrheitlich christliches Land sein könnte.[21] Man geht davon aus, dass bis dahin der Anteil von Menschen, die sich selbst als Christen bezeichnen, leicht von 31 % auf 32 % ansteigt. Es ist außerdem zu erwarten, dass der Islam (das zweitgrößte Glaubenssystem) von 24 % auf 31 % in die Höhe schießen wird. Währenddessen wird der Anteil von Leuten, die sich selbst als atheistisch, agnostisch oder nichts Bestimmtes bezeichnen, bis 2060 vermutlich von 16 % auf 13 % sinken.[22]

Das Christentum und der Islam sind sich in vielen entscheidend wichtigen Punkten nicht einig. Aber beide lehren, dass es einen Schöpfergott gibt. Die Zeit läuft für diese Glaubensüberzeugung nicht ab. Ihre Zeit kommt. Natürlich macht allein die Tatsache, dass die meisten Menschen auf der Welt an etwas glauben, es noch nicht wahr. *Was* es jedoch bedeutet, ist: Wir können den Glauben an einen Schöpfergott nicht einfach abtun, als wäre er veraltet.

Hat die Wissenschaft den christlichen Glauben nicht widerlegt?

Als Heranwachsende besuchte ich jeden Sommer meine Oma. Sie lebte in Cornwall am Rand einer wunderschönen Bucht. (Falls Sie die Fernsehserie *Poldark* gesehen haben – sie wurde zum Teil in ihrer Gegend gefilmt.) An den meisten Tagen gingen wir zum Strand. Wir bauten Sandburgen und stellten uns darauf, wenn die Flut kam, um zu zählen, wie vielen Wellen sie standhalten konnten. Falls Sie atheistische Autoren wie Richard Dawkins lesen, werden Sie dabei den Eindruck gewinnen, im Hinblick auf die Wissenschaft seien Christen wie Kinder, die auf ihrer Glaubenssandburg stehen, während eine Welle wissenschaftlicher Entdeckungen nach der anderen über sie hinwegspült. Die Burg ist längst weg. Aber sie sind zu stur oder verblendet, um es zuzugeben. An die Wissenschaft zu glauben – so heißt es –, sei das Gegenteil davon, an Gott zu glauben. Das ist jedoch schlicht und ergreifend nicht wahr.

Das erste Problem mit dem Wissenschaft-versus-Christentum-Narrativ ist, dass die moderne Wissenschaft ursprünglich von Christen entwickelt wurde – nicht *trotz* ihres Glaubens an einen Schöpfer, sondern grade *deswegen*. Das habe ich von Hans Halvorson, einem Professor in Princeton, gelernt, einem der Top-Wissenschaftsphilosophen der Welt.[23] Die Pioniere dessen, was wir heute Wissenschaft nennen, kamen zu folgendem Schluss: Wenn (wie die Bibel behauptet) das Universum von einem rationalen, unveränderlichen Gott geschaffen wurde, so können wir damit rechnen, dass es rationalen, unveränderlichen Gesetzen folgt.* Da der Gott der Bibel jedoch völlig frei ist, hätte er das Universum nach allen möglichen Gesetzen erschaffen können, die ihm gefielen – wenn wir also die Gesetze entdecken wollen, die unser Universum formen, müssen wir hingehen und nach ihnen suchen! Professor Halvorson zufolge ist der Glaube an einen Schöpfergott nicht das Gegenteil davon, der Wissenschaft zu glauben – er bleibt bis heute die beste philosophische Grundlage für Wissenschaft. Tatsächlich argumentiert Halvorson, dass der Atheismus uns keinerlei philosophische Basis für die Wissenschaft liefert.

Atheisten behaupten gerne das Gegenteil. Sie weisen darauf hin, dass eines der Grundprinzipien von Wissenschaft darin besteht, nach natürlichen Ursachen statt nach göttlichem Eingreifen als Erklärung für die Dinge zu suchen, die wir in der Natur sehen. Wie Halvorson erklärt, schlossen

---

* Zwei Franziskanermönche, Roger Bacon (ca. 1214–ca. 1294) und Wilhelm von Ockham (ca. 1285–ca. 1350), legten die empirischen und methodologischen Grundlagen für die wissenschaftliche Methode. Francis Bacon (1561–1626) etablierte und verbreitete sie. Ja, diese beiden Bacons haben viel Laufarbeit geleistet für das, was wir heute Wissenschaft nennen!

die ersten modernen Wissenschaftler jedoch übernatürliche Ursachen aus ihren Experimenten nicht deswegen aus, weil sie glaubten, es *gäbe keine* übernatürlichen Ursachen, sondern weil sie glaubten, dass *alles* übernatürlichen Ursprungs war! Ihre Frage lautete nicht: „Ist hier Gott am Werk?", sondern, „*Wie* ist Gott hier am Werk?" Und weil der Gott der Bibel unveränderlich ist und über Raum und Zeit gebietet, glaubten sie, dass man dieselben Experimente zu verschiedenen Zeiten und an verschiedenen Orten durchführen und dieselben Ergebnisse bekommen könne. Obendrein erklärt die biblische Behauptung, Gott habe den Menschen *in seinem Ebenbild* gemacht, warum wir einfachen Säugetiere die Gesetze des Universums überhaupt verstehen können. Wie der bahnbrechende Astronom Johannes Kepler es im 17. Jahrhundert formulierte: „Gott wollte, [...] als er uns zu seinem eigenen Ebenbild schuf, [dass] wir Anteil hätten an seinen eigenen Gedanken."[24]

Das heißt nicht, dass Christen immer einer Meinung darüber waren, wie sich Wissenschaft und Bibel zueinander verhalten. Sie diskutieren darüber mindestens seit dem 4. Jahrhundert! Zu manchen Zeiten haben sich Christen vehement gegen wissenschaftliche Theorien gewehrt, die sich am Ende als wahr erwiesen. (Wie wir an späterer Stelle in diesem Kapitel sehen werden, ist es Atheisten manchmal genauso ergangen.) Aber wenn man sich jede scheinbare

Wissenschaft-versus-Christentum-Kontroverse der Menschheitsgeschichte – seit Galileo – genauer ansieht, so stellt man fest, dass es immer bibelgläubige Christen auf beiden Seiten gegeben hat.

Heute gibt es Christen an der vordersten Front jedes Wissenschaftsgebietes. Der Professor für Experimentelle Physik Russell Cowburn aus Cambridge ist ein Beispiel.

Ein Cambridge-Professor auf der Reise zum Glauben

Russell wuchs damit auf, zur Kirche zu gehen, doch er war bei Weitem nicht überzeugt von den Geschichten über Jesus. Tatsächlich dachte er als Teenager, Jesus sei vermutlich nicht einmal eine reale, historische Person. Aber in einem Brückenjahr, bevor er sein Studium in Cambridge begann, ging Russell nach London, um dort zu arbeiten. An seinem ersten Wochenende hatte er nichts zu tun. Also probierte er eine örtliche Gemeinde aus. Es stellte sich heraus, dass sich diese Gemeinde ziemlich von den Gemeinden unterschied, in denen er aufgewachsen war. Er wurde sofort zu einem Bibelkurs eingeladen. „Als ich die Bibel zum ersten Mal wirklich las, änderte das alles", erinnert sich Russell.

Die Gruppe studierte das Johannesevangelium, und Russell staunte über einen bestimmten Vers:

Denn so hat Gott die Welt geliebt, dass er sei-
nen einzigen Sohn gab, damit jeder, der an
ihn glaubt, nicht verloren geht, sondern ewi-
ges Leben hat. (Johannes 3,16)

„Ich war so getroffen von der Tiefe von Gottes Liebe durch Jesu Tod", erinnert sich Russell, „eigentlich war ich nicht auf der Suche nach einer Religion. Es war nicht so, dass ich loszog und alle Denker der Welt eingehend studierte und mich dann für Jesus entschied. Er hat mich gefunden. Mein Glaube ist eine Beziehung. Und er ist eine Beziehung, die ich nicht gesucht hatte."

Russell studierte anschließend Physik in Cambridge und ist inzwischen ein führender Experte auf dem Gebiet der Nanotechnologie. Er arbeitet daran, Maschinen zu entwickeln, die noch kleiner sind als rote Blutkörperchen! „Manche Menschen betrachten den Glauben als *eine* Erklärung für die Welt und die Wissenschaft als eine *weitere*", beobachtet Russell, „aber ich glaube nicht, dass die beiden miteinander konkurrieren. Ich bin der Meinung, dass es parallele Erklärungen sind."

Wie erklärt Russell Wunder wie die Jungfrauengeburt oder die Auferstehung Jesu? Er erläutert:

„Wissenschaft beschreibt, wie Gott sich ent-
scheidet, einen Großteil der Zeit über zu
wirken. Aber er ist allmächtig. Er kann sich
entscheiden, so zu wirken, wie er will. Es gibt

besondere Zeiten und Orte, an denen er sich anders verhalten wird – der wichtigste solche Moment war die Auferstehung Jesu. Wir wissen, dass tote Körper den Erkenntnissen der Wissenschaft zufolge nicht wieder zum Leben erwachen. Und doch gründet sich der christliche Glaube auf die Beobachtung, dass Jesus wieder zum Leben erwachte. Und ich bin sehr froh, sagen zu können, dass Gott in diesem besonderen Moment anders gehandelt hat."

Wie Hans Halvorson weist auch Russell auf die Tatsache hin, dass die Wissenschaft viel besser zu einem theistischen Verständnis des Universums passt als zu einem atheistischen. „Auf einer philosophischen Ebene", merkt er an, „liefert mir der christliche Glaube den Grund dafür, warum Wissenschaft funktioniert. Ich denke, dass Menschen das manchmal übersehen. Ohne einen Schöpfergott gibt es keinen Grund, anzunehmen, dass Wissenschaft funktioniert." So sehr er wissenschaftliche Forschung auch wichtig findet, hält Russell sie doch nicht für das Wichtigste überhaupt: „Das Wichtigste, das jeder von uns tun kann, ist, über die Behauptungen Jesu nachzudenken – gründlich und ernsthaft."

Ich kenne Dutzende naturwissenschaftliche Professoren wie Russell: Männer und Frauen an der vordersten Front der Forschung, die außerdem glauben, dass Gott alle Dinge geschaffen hat und erhält. Manche von ihnen wuchsen in christlichen Familien auf. Andere kommen aus säkularen Elternhäusern und haben erst als Erwachsene angefangen, Jesus nachzufolgen. Ein Beispiel dafür ist Francis Collins, der das *Human Genome Project* (dt.: Humangenomprojekt) geleitet hat und jetzt das *National Institute of Health* in Amerika führt. Ihre naturwissenschaftliche Forschung untergräbt ihren Glauben an Gott nicht, sondern diese Wissenschaftler betrachten sie vielmehr als Teil ihrer Anbetung. Die wissenschaftlichen Entdeckungen, die ihr Verständnis davon erweitern, wie Gott das Universum gemacht hat, mehren ihr Staunen. Eine solche Entdeckung ist der sogenannte „Urknall".

Die Jungfrauengeburt des Universums

Die wissenschaftliche Theorie, die heute als Urknall bekannt ist, wurde in den 1930ern von einem belgischen, römisch-katholischen Priester namens Georges Lemaître präsentiert. Damals wehrten sich einige atheistische Physiker vehement gegen diese Theorie. Ganz ehrlich – ich kann das nachvollziehen: Die Vorstellung, das gesamte Universum habe als ein einziger, unglaublich dichter energetischer Punkt angefangen – das, was Lemaître ein „kosmisches Ei" nannte –, erscheint sehr unglaubwürdig. In der Tat wurde sie zuerst von einem atheistischen Physiker als *Big Bang* (dt: „Urknall") bezeichnet, der sich über diese Vorstellung lustig machte. Sie klang absurd. Außerdem ähnelte sie viel zu sehr der biblischen Behauptung, Gott habe das Universum aus dem Nichts geschaffen. Bis dahin galt der wissenschaftliche Konsens, dass das Universum schon immer existiert habe. Das war entspannter mit dem Atheismus vereinbar. Der berühmte Physiker Stephen Hawking bemerkt in seinem Bestseller *Eine kurze Geschichte der Zeit:* „Deshalb wurden zahlreiche Versuche unternommen, die Urknalltheorie zu widerlegen."[25] Ohne Frage gab es in der Menschheitsgeschichte Zeiten, da Christen sich gegen wissenschaftlichen Fortschritt gesträubt haben. Aber bei diesem Beispiel war die Situation offensichtlich umgekehrt!

Unser Wissen um die Physik des Universums hat sich weiterentwickelt, seit Lemaître seine Hypothese aufstellte. Eine Sache, die wir dazugelernt haben, ist folgende: Unsere Welt scheint unglaublich genau abgestimmt zu sein. Wären die grundlegenden Gesetze des Universums auch nur geringfügig anders, gäbe es keine Sterne, keine Planeten und kein Leben. Das ist so eigenartig, dass es einige Wissenschaftler dazu veranlasst hat, die Hypothese aufzustellen, es gebe Milliarden anderer Universen mit anderen Gesetzen, und unseres sei einfach das, welches zufällig funktioniert habe. Aus einer christlichen Perspektive stellt die Vorstellung, Gott habe zahlreiche Universen gemacht, kein Problem dar. Immerhin hat er Milliarden Galaxien gemacht, und unser winzig kleiner Planet bildet trotzdem einen zentralen Bestandteil seiner Pläne. Doch selbst wenn es *tatsächlich* eine praktisch unendliche Zahl anderer Universen gäbe, sodass die Feinjustierung unseres Universums weniger unplausibel wäre, bleibt noch immer die Frage offen, warum die Realität überhaupt existiert. Warum gibt es *etwas* statt *nichts?*

In seinem letzten Buch behauptet Stephen Hawking, diese Frage beantwortet zu haben:

> *„Da es ein Gesetz wie das der Gravitation gibt, kann und wird sich das Universum [...] aus dem Nichts erzeugen. Spontane Erzeugung ist der Grund, warum etwas ist und nicht einfach nichts, warum es das Universum gibt, warum es uns gibt. Es ist nicht nötig, Gott als den ersten Beweger zu bemühen, der das Licht entzündet und das Universum in Gang gesetzt hat."*[26]

Aber wenn man genau hinschaut, sieht man, dass Hawking das Problem, warum überhaupt irgendetwas existiert, nicht wirklich gelöst hat. Wie der agnostische Physiker Paul Davies anmerkt, hängt Hawkings „spontane Schöpfung" von der Existenz ewiger, unveränderlicher, transzendenter Gesetze ab, „die einfach zufällig existieren und schlicht als gegeben hingenommen werden müssen". Davies beobachtet, dass diese Gesetze „einen ähnlichen

Status haben wie ein unerklärter, transzendenter Gott".[27] Mit anderen Worten: Hawking argumentiert, dass physische Realitäten von ewigen, nicht physischen Realitäten abhängig sind – genau das, was Christen schon immer sagen!

Das christliche Gottesbild umfasst jedoch weit mehr als das. Der Bibel zufolge hat Gott nicht einfach als Erster das Licht des Universums entzündet und ist dann einen Schritt zurückgetreten wie mein Mann, der an Silvester Feuerwerkskörper für unsere Kinder anzündet. Gott regiert von Anfang bis Ende über das Universum. Er kümmert sich um die Welt und um die Menschen, die er gemacht hat – um Sie und mich. Das wissen wir aufgrund dessen, was wir an Weihnachten feiern. Jesus wurde geboren, um „Immanuel" zu sein – das bedeutet „Gott mit uns" (Matthäus 1,23). Wenn wir darüber nachdenken, dass der ewige Gott da draußen – der Gott mit der Macht, Milliarden Sterne und Planeten zu erschaffen – ein winziges Baby hier unten wurde, geboren, um bei uns zu leben und für uns zu sterben, weil er uns liebt, dann besteht die einzige angemessene Reaktion darauf darin, ihn anzubeten.

Was ist mit dem Stern?

Wie einige Wissenschaftler heute auch, so wurde im Matthäusevangelium eine Gruppe von Astronomen oder „Weisen" durch einen Stern dazu gebracht, Jesus anzubeten. Neben der

Jungfrauengeburt ist dies die andere wissenschaftliche Herausforderung der Weihnachtsgeschichte. Wie genau geschah das?

Die kurze Antwort lautet: Wir wissen es nicht! Es gibt verschiedene Theorien – Theorien über Kometen, Supernovas oder eine Planetenkonjunktion (für die es im Zeitrahmen rund um die Geburt Jesu einige Aufzeichnungen gibt). Aber wie bei der Jungfrauengeburt, so gilt auch hier: Falls es einen Gott gibt, der das Universum geschaffen hat, so ist es nicht irrational zu glauben, er habe Weise mithilfe eines Sterns geführt. Tatsächlich glauben ein paar der Top-Astronomen weltweit den Evangelienberichten – nicht aufgrund irgendwelcher wissenschaftlicher Belege für einen Stern um jenen Zeitpunkt herum, sondern weil sie an Jesus selbst glauben. Lustigerweise heißt eine der führenden christlichen Astronominnen, die als *Senior Project Scientist* für das NASA-Hubble-Weltraumteleskop arbeitet, Jennifer Wiseman[*]. (So etwas kann man sich einfach nicht ausdenken!) Doch selbst wenn Gott *tatsächlich* im 1. Jahrhundert weise Männer mithilfe eines Sterns geführt hat, so ist das noch nicht das Erstaunlichste an der Weihnachtsgeschichte.

Jonathan Feng ist Professor für Physik und Astronomie an der *University of California* in Irvine.

---

[*] *The Three Wise Men* = die Heiligen drei Könige / die drei Weisen aus dem Morgenland (Anm. d. Übers.)

Seine bahnbrechende Forschung führt uns zu etwas, das eine neue fundamentale Kraft sein könnte, die unser Verständnis des Universums völlig verändern würde – einer Verbindung zwischen der Materie, die wir bereits kennen, und der schwer zu fassenden „dunklen Materie", aus der ein Großteil des Kosmos zu bestehen scheint. Professor Feng weiß mehr über Astronomie, als ich jemals wissen werde. Er weist uns folgendermaßen auf das Wunder von Weihnachten hin: „Das wahrhaft Erstaunliche am christlichen Glauben ist die Vorstellung, dem Gott, der das Universum von Quarks bis hin zu Galaxien geschaffen hat, sei genug an uns gelegen, dass er als Mensch geboren wurde, litt und starb, um zerbrochenen Menschen Vergebung und neues Leben zu bringen."

Suchen Sie sich Ihr Wunder aus

Die Weihnachtsgeschichte klang für meine Vierjährige unglaubwürdig. Aber ein paar der weltweit führenden Wissenschaftler halten sie für wahr. Und wie wir gesehen haben, ist ohne Gott allein die Existenz der Realität ein großes Fragezeichen, das am Nachthimmel herumbaumelt. Falls der christliche Glaube wahr ist, so können wir hinaufblicken und uns fragen, warum der Gott, der die Galaxien erschuf, sich auch für Sie und mich interessiert (Psalm 8,4-5). Falls es jedoch keinen Gott gibt, können wir nur hinaufschauen und uns fragen, ob unser Leben überhaupt irgendeinen Sinn hat.

Der australische Autor und Redner Glen Scrivener drückt es so aus: „Christen glauben an die Jungfrauengeburt Christi. Atheisten glauben an die Jungfrauengeburt des Universums. Suchen Sie sich Ihr Wunder aus."

Warum ist das von Bedeutung?

Wenn du morgen aufwachst [...] Du wirst dich nicht mal an mich erinnern.

Na ja, ein bisschen hoffentlich doch. Ich werde eine Geschichte in deinem Kopf sein.

Ist mir recht so. Am Ende sind wir alle Geschichten.

Mach 'ne gute draus, ja?[28]

In einer Folge namens *Der große Knall* reist *Doctor Who* in der Zeit zurück, um diese Worte am Bett der schlafenden, siebenjährigen Amy Pond zu sagen. Die erwachsene Amy ist mit dem Doktor gereist. Aber der Riss in ihrer Wand hat es schließlich geschafft, die Realität aufzulösen. Die einzige Möglichkeit, die Welt zu retten, besteht darin, dass der Doktor das Universum neu startet und sich selbst opfert. Wenn er das tut, werden alle Abenteuer, die er und Amy gemeinsam erlebt haben, verloren gehen. Deshalb reist er in der Zeit zurück, um sich zu verabschieden. Bald wird er nur noch eine Geschichte in ihrem Kopf sein.

Bis jetzt habe ich mich in diesem Buch dafür ausgesprochen, dass die Weihnachtsgeschichte *nicht* nur eine gute Geschichte in unserem Kopf ist. Sie ist eine *wahre* Geschichte, die sich in der Menschheitsgeschichte ereignet hat. Wir haben uns die Hinweise darauf angeguckt, dass Jesus eine reale Person war, dass die Evangelienberichte über sein Leben nicht nur erfunden sind und dass die Wunder, die sie beschreiben, von der Wissenschaft nicht widerlegt wurden. In diesem letzten Kapitel werden wir die Frage stellen: „Welchen Unterschied macht es überhaupt, ob die Behauptungen der Bibel in Bezug auf Jesus wahr sind oder nicht?" Ich behaupte: Wenn die Geschichte über Jesus *nicht* wahr ist – wenn er nur eine Geschichte im Kopf mancher Menschen ist –, so verlieren wir nicht nur den Zauber von Weihnachten. Wir verlieren alles. Wir verlieren das Leben und den Sinn. Gut und Böse. Sogar Sie und mich.

Eine gottlose Geschichte der Menschheit

In seinem weltweiten Bestseller *Eine kurze Geschichte der Menschheit* erzählt der israelische Historiker Yuval Noah Harari die Menschheitsgeschichte von Anfang an. Harari lehnt die Behauptungen des christlichen Glaubens zwar ab, erkennt ihren Einfluss aber nichtsdestotrotz an. Tatsächlich argumentiert er, dass unsere tiefsten moralischen Überzeugungen heutzutage – zum Beispiel unser Glaube an allgemeine

Menschenrechte und Gleichheit – keine selbstevidenten Wahrheiten sind. Sie sind biblische Überzeugungen. „Die Vorstellung der Gleichheit ist untrennbar mit dem Gedanken der Schöpfung verbunden", erklärt Harari, „Wenn wir aber nicht an die christlichen Mythen über Gott, die Schöpfung und die Seele glauben, was bedeutet es dann, dass alle Menschen ‚gleich' sind?"[29]

Unabhängig davon, ob Sie nun an Gott glauben oder nicht, nehme ich an, dass Sie an Menschenrechte glauben. Sie glauben wahrscheinlich, dass Rassismus falsch ist, dass Frauen ebenso wertvoll sind wie Männer, dass Vergewaltigung böse ist und dass die Reichen die Armen nicht unterdrücken sollten. Aber stellen Sie sich folgende Frage: *Warum?* Wenn es keinen Gott gibt, so sind diese Behauptungen keine moralischen Tatsachen. Sie sind lediglich Meinungen. Wenn es keinen Gott gibt, so gilt: „Der *Homo sapiens* hat genauso wenig natürliche Rechte wie Spinnen, Hyänen und Schimpansen", wie Harari es formuliert.[30]

Der britische Historiker Tom Holland argumentiert in seinem Buch *Herrschaft: Die Entstehung des Westens* (2021) ähnlich. Als Kind hörte Holland auf, an Gott zu glauben. Er fühlte sich viel mehr zu griechischen und römischen Göttern hingezogen als zu dem gekreuzigten Helden des christlichen Glaubens. Doch nach jahrelanger Forschung stellte Holland fest, dass er sich wieder zu Jesus hingezogen fühlte. Warum? Weil ihm bewusst geworden war, wie viele der Überzeugungen, die ihm lieb und teuer sind, eigentlich von diesem gekreuzigten Christus abhängen. Sein Glaube an menschliche Gleichberechtigung und Menschenrechte, Gleichberechtigung von Mann und Frau, Liebe zu Ausländern und Fürsorge für die Armen, die Schwachen und die Randgruppen sind spezifisch *christliche* Überzeugungen. Die Geschichte zeigt uns: Erst mit der Ausbreitung des Christentums wurden diese Überzeugungen allgemein akzeptiert. Die alten Griechen und Römer hätten darüber nur gelacht.

Jenga-Spielstein
oder Sicherungsstift einer Handgranate?

Selbst wenn sich Historiker einig sind, dass unsere moralischen Bausteine durch das Christentum zu uns gelangten, bleibt die Versuchung zu denken, wir könnten die Werte behalten, die wir schätzen, und dabei vorsichtig die Behauptungen über Jesus selbst entfernen. Vielleicht könnten wir unseren moralischen Turm ja höher bauen, wenn wir überhaupt nicht an Gott glauben – so wie man langsam einen Jenga-Stein aus einer unteren Schicht im Turm herauszieht. Jesus aus unserer moralischen Struktur herauszulösen ist allerdings nicht so, als würde man einen Jenga-Stein vorsichtig herauszieht. Es ist eher so, als würde man den Sicherungsstift aus einer Handgranate ziehen. Bei der Explosion, die das auslöst, verlieren wir nicht nur die Moral. Unser Gefühl von Sinn wird ebenfalls in die Luft gesprengt. Wie Harari erläutert:

> *„Soweit wir das aus rein wissenschaftlicher Sicht beurteilen können, hat das Leben nicht den geringsten Sinn. Wir sind nicht mehr als das Produkt eines evolutionären Prozesses, der ohne Zweck oder Ziel agiert. Unser Leben ist nicht Teil eines göttlichen Plans für das gesamte Universum [...] Daher ist jeder Sinn, den wir unserem Leben geben, reine Illusion."*[31]

Glauben Sie, dass Ihr Leben ohne Sinn ist? Vielleicht ja. Oder vielleicht fallen Ihnen sofort die Dinge in Ihrem Leben ein, die sich bedeutungsvoll *anfühlen.* Ich ahne, dass ganz tief drinnen niemand von uns *will,* dass Harari recht hat. Falls es jedoch keinen Gott gibt, bleibt uns nur eine verstörende Realität: Wir leben und sterben, und wie Milliarden anderer Homo sapiens vor uns werden wir vergessen.

In der Netflixserie *Die Ausgrabung* legt der Archäologe Basil Brown eine außergewöhnliche angelsächsische Stätte auf Edith Prettys Land frei. Im Laufe der Ausgrabung findet Edith heraus, dass sie sterbenskrank ist. Sie spürt die Last ihrer eigenen Sterblichkeit, und angesichts der Untersuchung der Jahrhunderte alten archäologischen Überreste der Stätte bricht sie in Tränen aus. Sie und Basil führen daraufhin folgendes Gespräch:

Edith: *Wir sterben. Wir sterben und wir verwesen. Wir leben nicht weiter.*
Basil: *Ich weiß nicht, ob ich Ihre Meinung teile. Seit dem ersten menschlichen Handabdruck an einer Höhlenwand sind wir Teil von etwas Beständigem. Also … sterben wir nicht wirklich.*

Solche Dinge sagen wir uns, um den Schmerz zu betäuben. Letzten Endes hat Edith jedoch recht: Wenn es keinen Gott gibt, sterben wir und verwesen. Wir leben nicht weiter. Jede Bedeutung, die wir unserem Leben zuschreiben, ist nur eine Illusion – wie Buchstaben auf der Wasseroberfläche eines Sees. Zudem argumentieren atheistische Philosophen zunehmend, sogar unser Gefühl einer individuellen Identität – also Ihre Wahrnehmung, dass Sie *Sie* sind und ich *ich* bin –, sei nur eine Illusion, das Ergebnis chemischer Prozesse in unserem Gehirn.

Ist das notwendigerweise der Schluss, den wir aus der Wissenschaft ziehen müssen? Nein. Wie wir gesehen haben, sind viele führende Wissenschaftler zugleich überzeugte Christen. Eine rein wissenschaftliche Analyse des menschlichen Lebens durchzuführen und daraus zu schließen, es sei sinnlos, ist so, als würde man eine rein wissenschaftliche Analyse dieses Buches durchführen und daraus schließen, es sei nichts weiter als Papier und Druckerschwärze. Wenn wir allerdings Gott aus der Rechnung herausnehmen, so behält Harari recht: Moral und Sinn, Identität und Menschenrechte sind „nichts anderes […] als Produkte unseres Erfindungsreichtums."[32]

Welche Alternative bleibt uns dann?

Das Licht scheint in der Finsternis

Das Johannesevangelium erwähnt die Geburt Jesu nicht. Es beginnt viel weiter in der Vergangenheit: noch vor der Geburt des Universums selbst. Die faszinierenden eröffnenden Worte von Johannes beschreiben eine Figur, die er „das Wort" nennt:

Im Anfang war das Wort, und das Wort war bei Gott, und das Wort war Gott. Dieses war im Anfang bei Gott. Alles wurde durch dasselbe, und ohne dasselbe wurde auch nicht eines, das geworden ist. In ihm war Leben, und das Leben war das Licht der Menschen. Und das Licht scheint in der Finsternis, und die Finsternis hat es nicht erfasst. (Johannes 1,1-5)

Dieses „Wort" *war* von Anfang an Gott und es *war bei* Gott. Im weiteren Verlauf von Johannes' Geschichte stellen wir fest, dass dieses „Wort" Jesus ist. Gott selbst ist in Fleisch und Blut gekommen: wie ein Tornado, nur dass er Leben statt Tod bringt.

Die Bibel lehrt, dass es einen Gott in drei Personen gibt – Vater, Sohn und Geist –, die immer

schon in vollkommener Liebe zusammen existiert haben. Doch zu einem bestimmten Zeitpunkt
wurde Gott, der Sohn, Mensch: Jesus Christus (Johannes 1,18), „der Eine und Einzige vom Vater"
(Vers 14; NeÜ). Johannes sagt, Jesus sei Gottes
ewiges Wort – die große Geschichte, die Gott bereits zu erzählen begonnen hatte, bevor das Universum aus seinem kosmischen Ei schlüpfte, das
Argument gegen eine sinnlose Welt, das Licht, das
in der Finsternis scheint.

Gegen den trostlosen Winter einer Welt ohne
Gott erzählt Johannes eine Geschichte, in der
unser Leben Teil eines kosmischen Plans ist. Er
schreibt weiter:

*Das war das wahrhaftige Licht, das, in die
Welt kommend, jeden Menschen erleuchtet. Er
war in der Welt, und die Welt wurde durch ihn,
und die Welt erkannte ihn nicht. Er kam in das
Seine, und die Seinen nahmen ihn nicht an; so
viele ihn aber aufnahmen, denen gab er das
Recht, Kinder Gottes zu werden, denen, die an
seinen Namen glauben; die nicht aus Geblüt,
auch nicht aus dem Willen des Fleisches, auch
nicht aus dem Willen des Mannes, sondern aus
Gott geboren sind. Und das Wort wurde Fleisch
und wohnte unter uns. (Johannes 1,9-14)*

Johannes stellt Jesus als den Urheber der Geschichte dar – und als ihren Protagonisten. In Jesus

sehen wir, wie der Autor des Theaterstücks selbst die Bühne betritt. Wir sehen, wie der Gott, der das Universum gemacht hat, selbst herabkommt auf unseren rückständigen Planeten, damit wir seine Kinder werden können. Aber statt Applaus zu bekommen, wurde Jesus abgelehnt. Statt angebetet zu werden, wurde er hingerichtet. Und das war kein tragischer Unfall. Es war von Anfang an in das Drehbuch Jesu hineingeschrieben. Aber warum?

Die Antwort ist zugleich die beste und die schlechteste Nachricht, die wir jemals hören könnten. Sehen Sie, wenn es einen Gott gibt, der uns gemacht hat und uns liebt, so ist das eine wunderbare Nachricht. Es bedeutet, dass unser Leben Sinn *hat,* dass es solche Dinge wie Gut und Böse *gibt* und dass am Ende Gerechtigkeit und Liebe gewinnen werden. Wir sind nicht nur Trümmerteile, die in einem sinnlosen Kosmos herumschweben. Wir sind wichtig. Der Bibel zufolge ist das jedoch zugleich eine schreckliche Nachricht. Denn die Leute zur Zeit Jesu waren nicht die Einzigen, die es nötig hatten, von ihren Sünden gerettet zu werden. Wir alle haben es nötig, von unseren Sünden und von Gottes Gericht, das wir rechtmäßig verdienen, gerettet zu werden.

Die schlechteste Nachricht

Jesus wird manchmal als das Gegenmittel aus Liebe und Vergebung für den zornigen und richtenden Gott des Alten Testaments angepriesen.

Wenn Sie allerdings die Evangelien lesen, werden Sie feststellen, dass Jesus – regelrecht vor Liebe und Vergebung überfließend – ebenfalls wieder und wieder vor Gottes Gericht warnte. Er sagte, es sei wie Feuer (Lukas 16,19-31) und wie Finsternis (Matthäus 22,13). Wie Hunger (Lukas 6,25) und wie fürchterlicher Durst (Lukas 16,24). Wie von einer wunderbaren Feier aus- (Matthäus 25,1-12) und in einem hoffnungslosen Gefängnis eingesperrt zu sein (Matthäus 18,34). In den Evangelien sehen wir, dass Jesus derjenige ist, der an unserer Stelle das Urteil auf sich nimmt. Aber er ist auch der Richter (Matthäus 25,31-46). Wir sehen: An jenem ersten Weihnachten kam er, um den Riss im Universum zu heilen, der durch jedes menschliche Herz und jede menschliche Familie verläuft – den Riss, den wir *Sünde* nennen.

Manchen von uns ist unsere Sünde zutiefst bewusst, selbst wenn wir sie nicht so nennen. Wenn es einen Gott gibt, der unsere Gedanken, unsere Worte und Taten sieht, wissen wir, dass das für uns keine gute Nachricht ist. Offen gesagt finden wir es schwieriger zu glauben, dass ein Gott, der unsere Gedanken kennt, uns genug lieben könne, um für uns zu sterben, als zu glauben, dass er unser moralisches Versagen diagnostizieren würde. Falls Sie so fühlen, bin ich froh. Das vorliegende Buch ist kein Selbsthilfebuch, das Ihnen sagt, dass Sie gut genug sind. Sie sind es nicht. Ich auch nicht. Aber immer wieder in den Evangelien waren die

Menschen, die wussten, dass sie für Gott nicht gut genug waren, diejenigen, die Jesus mit offenen Armen empfing. Die Menschen, die als zu schlecht galten, als dass man sich um sie geschert hätte, oder als zu zerbrochen, als dass sie repariert werden könnten, waren genau die Gesellschaft, die Jesus bevorzugte. Als die religiösen Führer Jesus kritisierten, weil er Zeit mit „Sündern" verbrachte, erwiderte er: „Nicht die Gesunden brauchen einen Arzt, sondern die Kranken; ich bin nicht gekommen, Gerechte zu rufen, sondern Sünder zur Buße" (Lukas 5,31-32). Das Problem der religiösen Menschen bestand darin, dass sie nicht merkten, dass sie ebenfalls Sünder waren.

Heute ist das ganz ähnlich. Manche von uns würden schnell zustimmen, dass sie Sünder sind, während sich andere da nicht so sicher sind. Vielleicht halten Sie sich selbst für grundsätzlich gut – nicht perfekt, gewiss, aber eben doch kein Sünder, der Gottes Gericht verdient. Falls Ihre erste Reaktion eher so ausfällt, möchte ich Ihnen eine Frage stellen: „Wie würden Sie sich fühlen, wenn andere Menschen Ihre Gedanken kennen würden?"

Kein Filter

In einer Folge von *Dr. House* wird der abgebrühte Diagnostiker Dr. House mit einem Mann namens Nick konfrontiert. Aufgrund eines seltenen gesundheitlichen Problems hat Nick jegliche Hemmungen verloren; er sagt einfach, was er denkt. Seine einzige Hoffnung auf Heilung ist eine schwierige Operation an einem Bereich direkt neben seinem Hirnstamm. „Der kleinste Fehler könnte Sie umbringen", erklärt House, „selbst wenn Sie überleben, werden Sie möglicherweise nie wieder in der Lage sein, eigenständig zu atmen." Trotz dieser Risiken will Nick den Eingriff. Warum? Weil die Tatsache, dass er ständig seine Gedanken äußert, sein Leben ruiniert.

Wenn ich Nick wäre, würde ich auch die Operation wählen. Würde ich nur 24 Stunden lang alles sagen, was ich denke, würden alle meine Beziehungen sterben. Nicht alle meine Gedanken sind schlecht. Aber genug von ihnen sind es (sogar die über die Menschen, die ich am meisten liebe), dass sie auszusprechen mein Leben ruinieren würde. Befänden Sie und ich uns in Nicks Lage, wären wir in all unserer Selbstsucht, unserem Neid, unserer Boshaftigkeit und Lust bloßgestellt. Die schlechte Nachricht ist: Gott kann unsere Gedanken sehen. Er sieht auch unsere Worte und Taten. Er sieht, wie wir andere schlecht behandeln. Und er sieht unsere tief sitzende, verhärtete Ablehnung ihm gegenüber.

Aber ist unsere Sünde so ernst zu nehmen?

Ich denke leicht, ich wäre nicht zu etwas *wirklich* Schlimmem – wie Mord – in der Lage. Tatsache ist jedoch, dass ich noch nie auf die Probe gestellt worden bin. Eine Sache, die mich in der *Broadchurch*-Serie wirklich getroffen hat, war folgende: Als die Mörder entlarvt werden, stellen wir fest, dass keiner von ihnen die Absicht gehabt hatte zu töten. Die Dinge waren außer Kontrolle geraten, und sie hatten getötet, um eine andere Schuld zu vertuschen. Das zu sehen war ernüchternd für mich. Es erinnerte mich an eine der unangenehmsten Lehren Jesu: Es gibt keine leuchtend weiße Trennlinie zwischen Ihnen oder mir und einem Mörder (Matthäus 5,21-22). Wir alle stehen durch und durch schuldig vor Jesus. Wie jemand, der eine unerwartete Krebsdiagnose bekommt, haben wir uns möglicherweise bisher für moralisch gesund gehalten. Jesus sagt jedoch, dass wir geistlich schrecklich krank sind. Das ist eine furchtbare Nachricht. Aber sie ist noch nicht das Ende der Geschichte.

Der Doktor stirbt

An einem kritischen Punkt in *Der Urknall* findet der Doktor einen Weg, die Welt zu retten. Er kann das Universum rebooten. Dazu muss er nur sich selbst auslöschen. Immer wieder in der Serie trifft der Doktor eine Variante dieser Entscheidung. Er opfert sich, um das Universum zu retten. Oder auch nur ein einziges Leben. Der Doktor ist der „Mann, der ein ganzes Heer in die Flucht schlägt, nur weil sein Name fällt".[33] Aber er weigert sich, Gewalt einzusetzen. Er achtet immer auf den Außenseiter, und während der 900 Jahre, die er durch Raum und Zeit gereist ist, ist er „noch nie jemandem begegnet, der unbedeutend war".[34] Ich liebe es, diesem fiktionalen, brillanten, Leben spendenden, die Welt rettenden Doktor zuzuschauen, weil er mich an einen echten erinnert.

Jesus hat immer die Außenseiter willkommen geheißen. Er hat die Schwachen beschützt, die Kranken geheilt und den Armen Essen gegeben. Er hat Prostituierte angenommen, Aussätzige berührt und kleine Kinder in den Armen gehalten. Obwohl er Gottes verheißener König war, war er „nicht gekommen [...], um bedient zu werden, sondern um zu dienen und sein Leben zu geben als Lösegeld für viele" (Matthäus 20,28). Der Sohn Gottes wurde geboren, um zu sterben: um sein Volk von seinen Sünden zu retten (Matthäus 1,21).

Und so starb Jesus etwa 33 Jahre nach seiner Geburt in Bethlehem an einem Kreuz nahe bei Jerusalem. Auf den ersten Blick waren die religiösen Anführer und die römischen Obrigkeiten diejenigen, die seine Kreuzigung geplant hatten. Doch Jesus hatte es ebenfalls geplant. Am Kreuz opferte er sich, um uns vor dem Gericht zu retten, das wir verdienen. Jesus – die einzige Person in der Geschichte, deren Gedanken, Worte und Taten ausschließlich gut waren –, nahm freiwillig die Strafe für jeden bösen Gedanken, jedes böse Wort und jede böse Tat auf sich, die jemals aus meinem oder Ihrem Herzen hervorgesprudelt ist. Aber der Tod Jesu bedeutete noch nicht das Ende der Geschichte. Drei Tage später war sein Grab leer, und Jesus erschien seinen Nachfolgern – lebendig. Jesus wurde ein für alle Mal wieder zum Leben erweckt. Er trat dem Tod entgegen, um ihn zu besiegen. Er bezahlte für unsere Sünden, damit wir es nicht mehr tun müssen. Er ist der große Doktor, der für diejenigen kam, die wissen, dass sie krank sind. Er gab sein Leben, um uns wieder heil zu machen. Er kennt unsere geheimen Gedanken und unsere tiefste Schmach. Und trotzdem liebt er uns – bis in den Tod und wieder zurück. Er ist „Immanuel" oder „Gott mit uns" (Matthäus 1,23). Wir müssen ihm nur vertrauen.

Mach 'ne Gute draus

Die Geschichte von Jesus ist die großartigste Geschichte, die je erzählt wurde. Sie bedeutet außerdem unglaublich gute Neuigkeiten. Und das Beste von allem ist: Sie ist wahr. Teil der Jesus-Geschichte zu werden bedeutet nicht, einer Täuschung zu erliegen. Vielmehr ist es das Realste, was uns je passieren könnte. Wir leben nicht einfach, sterben dann und werden vergessen. Mit Jesus werden wir leben und sterben und dann wieder in seiner neuen Welt leben. Welche Wendungen und Umwege Ihre Geschichte auch nehmen mag, ganz gleich, wie niedergeschlagen Sie sich heute fühlen, egal, wie schlecht dieses Weihnachten ist – Jesus als Ihrem Erzähler zu vertrauen garantiert ein Ende, das wunderbarer und glücklicher sein wird, als Sie es sich jemals ausmalen könnten. Aber um dorthin zu gelangen, müssen wir aufhören, so zu tun, als wären wir die Helden der Geschichte. Wir müssen zugeben, dass wir kein Happy End verdienen. Eigentlich sind wir die ahnungslosen Bösewichte. Und dennoch – in der schockierendsten Wendung von allen – liebt uns der Held der Geschichte.

Ich weiß nicht, ob Sie sich heute zutiefst gekannt und geliebt fühlen. Jesus ist der Einzige, der Sie völlig kennt: alle Ihre Gedanken, Ihre Ängste, Ihre Sünden, Ihre Scham. Und er liebt Sie so sehr, dass er sein Leben für Sie gegeben hat. Mein liebstes Weihnachtslied stammt von der Dichterin Christina Rossetti aus dem 19. Jahrhundert. Die letzte Strophe lautet folgendermaßen:

Was kann ich Ihm geben, arm wie ich bin?
Wäre ich ein Schäfer,
brächte ich ihm ein Lamm;
Wäre ich ein Weiser,
trüge ich das Meinige dazu bei;
Doch was ich geben kann, gebe ich ihm:
Ich gebe mein Herz.[35]

Das Geschenk des Lebens mit Jesus ist kostenlos. Aber um es zu empfangen, müssen Sie Ihr Herz geben.

Wenn wir dieses Geschenk empfangen, verändert das nicht nur das Leben nach unserem Tod. Es verändert auch unser Leben im Hier und Jetzt.

Es wird nicht alle Ihre Probleme lösen. Wie das Leben mit dem Doktor beinhaltet das Leben mit Jesus eine Menge Risiken und Leid, Angst und Anstrengungen. Doch wir stellen uns diesem Leben mit Freude, weil wir wissen, dass unser Happy End bereits vom Erzähler des Universums selbst geplant worden ist. Drücken Sie dieses Weihnachten Jesus den Stift in die Hand und warten Sie ab, was er tut. Wenn wir am Ende alle Geschichten sind, dann machen Sie aus Ihrer 'ne gute, ja?

Quellenverzeichnis

1 https://talkingjesus.org/research-from-the-course/ (Zugriff am 24. März. 2021).

2 Übersetzt nach: Bart D. Ehrman, *Did Jesus Exist? The Historical Argument for Jesus of Nazareth* (HarperOne, 2012), 4.

3 Übersetzt nach: Ebd., 4.

4 Übersetzt nach: Bart D. Ehrman, *Truth and Fiction in The Da Vinci Code* (Oxford University Press, 2004), 102.

5 Josephus' *Jüdische Altertümer*, verfasst um 93 n. Chr. Josephus, Altertümer 20.9.1, übersetzt und mit Einleitung und Anmerkungen versehen von Dr. Heinrich Clementz (Hendel, Halle a. d. S. 1899), 667. Zugriff am 21. März 2022 auf die digitalisierte Ausgabe https://archive.org/details/josephus/altertümer%20band2/page/n663/mode/2up?q=jakobus. Ein anderer Textabschnitt in Josephus' Buch spricht ausführlicher über Jesus, aber die Forscher sind sich einig, dass es sich dabei vermutlich um das Ergebnis späterer Fälschung durch Christen handelt. Daher werden wir diese Passage für unsere Zwecke nicht weiter berücksichtigen.

6 Vgl. z. B. Markus 6,3; Matthäus 13,55; Galater 1,19.

7 Cornelius Tacitus, *Annalen. Lateinisch-Deutsch*, Hrsg. Erich Heller, (Düsseldorf/Zürich: Artemis & Winkler Verlag, 1997), 3. Aufl., Buch XV 44, 748-751.

8 Brief X 96, Plinius an Trajan, zitiert nach der von der kath.-theol. Fakultät der Universität Siegen zur Verfügung gestellten Übersetzung (https://www.uni-siegen.de/

phil/kaththeo/antiketexte/ausser/8.html?lang=de), Zugriff am 21. März 2022.

9   Brief X 96, Plinius an Trajan, zitiert nach der von der
kath.-theol. Fakultät der Universität Siegen zur Verfügung
gestellten Übersetzung (https://www.uni-siegen.de/
phil/kaththeo/antiketexte/ausser/8.html?lang=de), Zugriff am 21. März 2022.

10 Dieses Zitat stammt aus dem Buch des Kirchenvaters Origenes aus dem 3. Jahrhundert mit dem Titel *Contra Celsum*, Buch 3, Kapitel 44, zitiert nach: Gegen Celsus (Contra
Celsum) In: *Origenes, Acht Bücher gegen Celsus.* Aus dem
Griechischen übersetzt von Paul Koetschau. 1. Reihe, Bd.
52 und 53 (München: Bibliothek der Kirchenväter, 1926).

11 Brief X 96, Plinius an Trajan, zitiert nach der von der
kath.-theol. Fakultät der Universität Siegen zur Verfügung
gestellten Übersetzung (https://www.uni-siegen.de/
phil/kaththeo/antiketexte/ausser/8.html?lang=de), Zugriff am 21. März 2022.

12 Für mehr Informationen zu diesem Thema siehe „Was
sind die vier Evangelien?" in Peter Williams, *Glaubwürdig: Können wir den Evangelien vertrauen?* (Dillenburg:
Christliche Verlagsgesellschaft, 2020), 35–48.

13 Für Belege dafür siehe „Kannten sich die Evangelisten
wirklich aus?" in Williams, *Glaubwürdig*, 49–86.

14 Für eine Zusammenfassung der Probleme und aller
potenziellen Lösungen siehe Darrell Bock, *Luke 1:1–9:50*
(Baker Academic, 1994), 903–909.

15 Richard Dawkins, *Atheismus für Anfänger: Warum wir
Gott für ein sinnerfülltes Leben nicht brauchen* (Hamburg:
Impian GmbH, 2021), 33–34.

16 Vgl. Richard Bauckham, *Jesus and the Eyewitnesses: The
Gospels as Eyewitness Testimony* (Grand Rapids, MI: Eerd-
mans, 2006), 6.

17 J. K. Rowling, *Harry Potter und der Feuerkelch* (Hamburg:
Carlsen Verlag, 2018).

18 Dawkins, *Atheismus für Anfänger*, 36–37.

19 Ebd., 31.

20 Im Hinblick auf die Frauen, die als Augenzeugen der Auferstehung Jesu in den verschiedenen Evangelien aufgezählt werden, schreibt Bauckham: „Die Abweichungen zwischen den Listen sind oftmals zum Anlass genommen worden, sie in ihrer Nennung der Augenzeugen dieser Ereignisse nicht ernst zu nehmen. Tatsächlich ist jedoch das Gegenteil der Fall: Diese Abweichungen beweisen – wenn man sie richtig versteht – die Gewissenhaftigkeit, mit der die Evangelien die Frauen als Zeugen darstellen." Übersetzt nach: Bauckham, *Jesus and the Eyewitnesses*, 49.

21 Vgl. die *Pew Research Center Global Religious Survey,* 2010, zitiert von Eleanor Albert in „Christianity in China", Council on Foreign Relations, 9. März, 2018, https://www.cfr.org/backgrounder/christianity-china (Zugriff am 24. März 2021). Siehe ebenfalls „Prison Sentence for Pastor Shows China Feels Threatened by Spread of Christianity, Experts Say", TIME, 2. Januar 2020, https://time.com/5757591/wang-yi-prison-sentence-china-christianity/ (Zugriff am 24. März 2021).

22 Siehe „The Future of World Religions: Population Growth Projections, 2010–2050", Pew Research Center, 2. April 2015, https://www.pewforum.org/2015/04/02/religious-projections-2010-2050/ und „Size and Projected Growth of Major Religious Groups, 2015-2060", Pew Research Center, 3. April 2017, https://www.pewforum.org/2017/04/05/the-changing-global-religious-landscape/pf-04-05-2017_-projectionsupdate-00-07/ (Zugriff am 24. März 2021).

23 Siehe Hans Halvorson, „Why Methodological Naturalism?", in *The Blackwell Companion to Naturalism*, Hrsg. Kelly James Clark (Chichester, West Sussex, UK: Wiley-Blackwell, 2016).

24 Übersetztes Zitat aus einem Brief von Johannes Kepler an den bayerischen Kanzler Herwart von Hohenburg, 9./10. April 1599, in „Johannes Kepler"; Max Caspar (Hrsg./Red.); Walther von Dyck (Hrsg./Red.), „Gesammelte Werke.

Briefe 1590–1599", Bd. 13, (München, 1945), https://publikationen.badw.de/de/002334747, 305–319.

25 Stephen Hawking, *Eine kurze Geschichte der Zeit*, (Hamburg: Rowohlt Verlag, 1992), 67.

26 Stephen Hawking und Leonard Mlodinow, *Der große Entwurf: Eine neue Erklärung des Universums* (Hamburg: Rowohlt Verlag, 2019), 7. Aufl., 177.

27 Übersetzt nach: Paul Davies, „Stephen Hawking's big bang gaps", *The Guardian*, 4. September 2010, https://www.theguardian.com/commentisfree/belief/2010/sep/04/stephen-hawking-big-bang-gap (Zugriff am 24. März 2021).

28 *Doctor Who*, „Der Große Knall".

29 Yuval Noah Harari, *Eine kurze Geschichte der Menschheit* (München: Pantheon Verlag, 2013), 39. Aufl., 139.

30 Ebd., 141.

31 Ebd., 477.

32 Ebd., 48.

33 *Doctor Who*, „Demons Run".

34 *Doctor Who*, „Weihnachtsspecial 2010: Fest der Liebe."

35 Deutsche Version zitiert nach: https://de.wikipedia.org/wiki/In_the_Bleak_Midwinter

Von derselben Autorin erhältlich

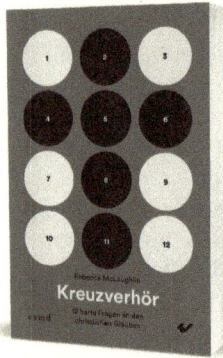

Kreuzverhör
12 harte Fragen an den christlichen Glauben
Pb., 336 S., 13,7 x 20,3 cm
Best.-Nr. 271816
ISBN 978-3-86353-816-3

Kreuzverhör untersucht kritische Fragen, die viele vom christlichen Glauben abhalten. Doch bei genauerem Hinsehen zeigt sich, dass diese scheinbaren Hindernisse zu Wegweisern auf Jesus Christus werden.

10 Fragen über Gott, die sich jeder junge Mensch stellen sollte
Pb., 240 S., 13,7 x 20,3 cm
Best.-Nr. 271821
ISBN 978-3-86353-821-7

Wie können wir glauben, dass die Bibel wahr ist? Ist das Christentum nicht gegen Vielfalt und Diversität? Dieses Buch lädt junge Menschen ein, ihre drängendsten Fragen über den christlichen Glauben zu stellen und überraschende, Leben spendende Antworten zu finden.